VIVIANA MAZZA
Die Geschichte von Malala

Viviana Mazza, geboren 1978 in Catania, arbeitet als Journalistin für die italienische Tageszeitung *Corriere della Sera* und hat in Italien als eine der Ersten über Malalas Geschichte aus Pakistan berichtet. Sie hat Malala persönlich in Birmingham getroffen.

Sophia Marzolff studierte Romanistik und Slawistik. Sie arbeitet als freiberufliche Lektorin für verschiedene Verlage und übersetzt aus dem Französischen, Italienischen und Tschechischen.

VIVIANA MAZZA

Die Geschichte von
Malala

Aus dem Italienischen von
Sophia Marzolff

Deutscher Taschenbuch Verlag

Zu diesem Band gibt es ein Unterrichtsmodell
unter www.dtv.de/lehrer
zum kostenlosen Download

Das gesamte lieferbare Programm von
dtv junior und viele andere Informationen
finden sich unter www.dtvjunior.de

Deutsche Erstausgabe
2014 Deutscher Taschenbuch Verlag GmbH und Co. KG,
München
© 2013 Arnoldo Mondadori Editore S.p.A., Milano
Titel der italienischen Originalausgabe:
›Storia di Malala‹, 2013 erschienen bei
Arnoldo Mondadori Editore S.p.A., Milano
© der deutschsprachigen Ausgabe:
2014 Deutscher Taschenbuch Verlag GmbH und Co. KG,
München
Umschlagkonzept: Balk & Brumshagen
Umschlagfoto: gettyimages/Veronique de Viguerie/
Kontributor
Satz: Bernd Schumacher, Obergriesbach
Gesetzt aus der Rotis Serif 11,5/15 pt
Druck und Bindung: Druckerei C.H.Beck, Nördlingen
Gedruckt auf säurefreiem, chlorfrei gebleichtem Papier
Printed in Germany ISBN 978-3-423-71604-8

VORWORT

Dieses Buch erzählt die Geschichte eines mutigen Mädchens: Malala Yousafzai.

Um Mut geht es dabei deshalb, weil es nicht leicht ist, für die eigenen Rechte einzutreten, wenn andere – die größer, stärker, mächtiger sind als man selbst – vehement dagegen sind.

Malala hat ihre Stimme erhoben, um für das zu kämpfen, woran sie glaubte, nicht nur für sich selbst, sondern auch im Namen anderer Mädchen, und sie hat dafür alles riskiert, sogar ihr eigenes Leben. Am 9. Oktober 2012 wurde im Swat-Tal in Pakistan auf sie geschossen, als sie auf dem Heimweg von der Schule war. Sie war fünfzehn Jahre alt und wollte einfach nur zur Schule gehen. Doch es gab da Menschen, die fanden, Mädchen hätten kein Recht auf Bildung.

Über Malala habe ich zum ersten Mal in der Zeitung geschrieben, für die ich als Journalistin arbeite – und nun in diesem Buch. Dabei hat mir sicher geholfen, dass ich Pakistan – dieses so komplizierte wie faszinierende Land – aus der Nähe kenne, doch die Geschichte von Malala berührt etwas Grundsätzliches, das weit über Pakistan hinausreicht: Sie geht uns alle ganz direkt an.

Als Malala in der Klinik lag, haben ihr Hunderte von Kindern und Jugendlichen aller Altersgruppen, Religionen und Nationalitäten Briefe und Bilder ans Krankenbett geschickt und ihr dadurch zusätzlich Kraft gegeben, am Leben zu bleiben.

Ein halbes Jahr nach dem Anschlag auf sie besucht sie nun in England die Schule, während aus Pakistan neue Morddrohungen gegen sie eingehen. Aber schon vom Krankenbett aus hat sie sich wieder zu Wort gemeldet, noch entschiedener als früher, um für das Recht auf Bildung und freie Meinungsäußerung einzutreten.

Dafür wurde Malala für den Friedensnobelpreis nominiert. Aber ihre Geschichte ist eine von vielen. Genau in diesem Moment versuchen viele andere Mädchen wie sie in Pakistan und anderswo auf der Welt, den Mut aufzubringen, ihre eigenen Träume zu verwirklichen und gegen Ungerechtigkeiten anzukämpfen.

Als ich für meine Recherchen Zeitungsartikel, Interviews, Videos und Dokumentarfilme gesichtet habe (im Anhang des Buches habe ich die wichtigsten Quellen aufgelistet), stieß ich auf eines der Bilder, die Malala ins Krankenhaus geschickt wurden. Es war eine Bleistiftzeichnung, die ein kleines Haus darstellte, Bäume, eine Sonne und ein Mädchen, auf das ein Pfeil mit der Beschriftung MALALA zeigt.

Ich weiß nicht, ob das Bild von einem Kind aus Pakistan kam, aus Italien oder aus welchem Land auch immer.

Ich weiß nur, dass darauf ein ganz normales Mädchen abgebildet war, keine Superheldin mit Maske, Umhang oder magischen Kräften.

Meine Hoffnung ist, dass dieses Buch zu vielen weiteren solcher Briefe und Bilder anregt. Dass es den Leser mitnimmt auf eine Reise in einen fernen Teil der Welt und ihn dabei nicht nur die Unterschiede, sondern auch die Gemeinsamkeiten entdecken lässt. Und vielleicht ist Malalas Mut ja ansteckend.

Viviana Mazza

TADSCHIKISTAN

AFGHANISTAN

Mingora
Buner
Haripur
Peschawar
Islamabad
KASCHMIR
Bannu
CHINA

Lahore

پاکستان
PAKISTAN

INDIEN

Das graue Rebhuhn weiß heute schon,
was morgen geschieht.
Und doch läuft es in die Falle,
lässt sich fangen von einer Horde kleiner Jungen.
Khushal Khan Khattak
(Paschtunischer Krieger und Dichter, 1613–1689)

DER ANSCHLAG

9. Oktober 2012

»Geschafft!« Zakia steigt in den Schulbus, stellt mit einem Seufzer ihre Schultasche ab und setzt sich auf ihren Platz. In ihrem Kopf schwirren immer noch die ganzen Fragen aus der Klassenarbeit in *Urdu*. Es ist keine schwere Sprache, Englisch ist viel schwieriger. Aber heute Morgen hat sie sich nicht richtig konzentrieren können.

Die in große dunkle Kopftücher gehüllten Mädchen reden alle durcheinander, während sie sich in dem engen kleinen Bus aneinanderdrängen, der nichts gemein hat mit den gelben Schulbussen in amerikanischen Filmen. Es ist ein weißer Pick-up, ein Lieferwagen mit einer separaten Fahrerkabine und einem Laderaum, der gegen Wind und Wetter mit einer Plastikplane bedeckt ist.

Die Mädchen steigen von hinten ein und setzen sich auf die zu Bänken umfunktionierten Holzbretter. Manchmal, wenn der Fahrer Usman Gas gibt, können sie sich nicht rechtzeitig festhalten und purzeln unter Geschrei und Gelächter fast übereinander.

Malala steigt in den Wagen und nimmt neben Zakia Platz. Dann steigt Laila auf, fröhlich wie immer, und setzt sich neben Malala.

Laila und Malala sind enge Freundinnen, und auch wenn sie erst dreizehn und fünfzehn Jahre alt sind, haben sie schon genaue Vorstellungen von ihrer Zukunft: Sie wollen einmal Ärztinnen werden. Zakia dagegen, die sechzehn ist, weiß noch nicht, was sie später mal machen will.

»... zwölf, dreizehn ...«, zählt eine der drei Lehrerinnen, die sie begleiten, »... und vierzehn.«

Das letzte Mädchen, das hinten einsteigt, schließt den grünen Vorhang am Wagenende. Der Pick-up fährt los. Sie sind gut gelaunt und singen ein altes Volkslied:

Vom Blute meines Liebsten,
das er fürs Vaterland vergossen,
tupf ich einen roten Punkt mir auf die Stirn.
Und solche Schönheit wird es sein,
dass selbst die Gartenrose vor Neid erblasst.

Zakia ist in nachdenklicher Stimmung. Sie blickt auf den Vorhang, der im Wind flattert, und auf den einzigen Lichtspalt, der sie in diesem fensterlosen Kasten mit der Außenwelt verbindet. Der hin und her schwingende Stoff gibt sekundenweise die staubige Straße von Mingora frei. Alles draußen ist in eine schmutzig gelbe Staubwolke gehüllt, aber es sind immer wieder einzelne Gestalten zu erkennen, die an diesem belebten Mittag draußen unterwegs sind.

Ein Mann läuft gebückt mit einem großen Sack auf dem Rücken und einem kleinen Kind auf dem Arm.

Zwei junge Kerle brausen auf einem Motorrad vorbei.

Grüne und blaue Rikschas stehen am Straßenrand, andere sind mitten im Verkehr unterwegs.

Bunt verzierte Lastwagen fahren vorüber.

Die Stadt Mingora hat ihre Lebenslust nicht verloren, sie hat sich den alten Geist einer Grenzstadt im Norden Pakistans bewahrt.

Auch Lailas Hängeohrringe schaukeln hin und her, hin und her, wie der Vorhang des Lieferwagens. Zakia ist in Gedanken immer noch bei der Klassenarbeit.

»Was hast du bei der Aufgabe drei geantwortet, wo man die Sätze ergänzen sollte?«, fragt sie Malala, die eine der Klassenbesten ist.

»Die Frage mit der Wahrheit? Da musste man

schreiben: ›*Aap ko sach kehna hoga*‹, also: ›Du musst die Wahrheit sagen‹.«

»Die Wahrheit sagen‹ ... Mensch, wusste ich's doch!« Hinter ihrem schwarzen Brillengestell blickt Zakia etwas verlegen drein. »Wie dumm von mir, ich habe geschrieben *khana* statt *kehna*!«

»Ich glaub es nicht! Du hast geschrieben, ›du musst die Wahrheit *essen*‹?«, sagt Laila und fängt zu lachen an. Und auch Zakia muss grinsen.

Dann fällt ihr Blick wieder auf Lailas Ohrringe: Sie hatten geschaukelt, jetzt stehen sie still.

Sie dreht sich zum Ausgang hin: Auch der Vorhang schwingt nicht mehr.

Und plötzlich wird er geöffnet.

Es geht alles sehr schnell.

Ein junger Typ mit Bart steckt den Kopf in den Innenraum.

»Wer von euch ist Malala?«, ruft er. Und dabei mustert er ein Mädchen nach dem anderen.

Er hat eine Pistole in der Hand und alle im Bus fangen an zu schreien.

»Ruhe!«, befiehlt er.

Und sie verstummen.

Zakia hat das Gefühl, ihn schon auf der Straße gesehen zu haben, eben erst, auf dem Motorrad, das sie überholt hat. Aber sie ist sich nicht sicher, die Angst vernebelt ihren Blick.

»Wer ist Malala?«, wiederholt er. »Wenn ihr nicht antwortet, bringe ich euch alle um! Malala hat die Soldaten Gottes, die *Taliban*, beleidigt und wird dafür bestraft werden.«

In der Stille hallt die Frage wider wie ein Todesurteil. Malala, der so vieles auf der Zunge liegt, ist wie gelähmt vor Angst und bringt keinen Laut heraus.

Zakia bemerkt, dass ein paar der Mitschülerinnen erschrocken ihre Freundin mit den großen braunen Augen ansehen.

Auch der Blick des bewaffneten jungen Kerls verharrt jetzt bei Malala. Keine hat etwas gesagt, doch er hat verstanden. Er schaut Malala an.

Es ist eine Frage von Sekunden.

Die Schüsse fallen dumpf, einer nach dem andern.

Einer, zwei, ein weiterer, noch einer.

Malalas Kopf kippt leicht nach hinten.

Ihr Körper schwankt zur Seite und sackt auf Lailas Schoß zusammen, wie in Zeitlupe.

Aus ihrem Ohr läuft Blut.

Laila schreit.

Ihr Schrei wird übertönt von einem Schuss, der sie an der rechten Schulter trifft, ein zweiter trifft ihre linke Hand, die sie in Abwehr vor sich gehalten hat.

Auch Zakia verspürt einen jähen Schmerz, es fühlt sich an, als würden Arm und Herz zerspringen.

Und über die ganze Welt senkt sich Dunkelheit.

MINGORA

Der kleine Rettungswagen braust durch die Straßen, seine Sirene eilt ihm voraus und hallt ihm nach. Zurück bleibt der Pick-up mit den blutbefleckten Bänken und den noch verstreut auf dem Boden liegenden Schultaschen. Auf einer ist in einem Kreis aus Herzchen Hannah Montana abgebildet, mit einem Mikro in der Hand, als wolle sie gleich zu singen beginnen.

Der Rettungswagen eilt ins Zentrum der Stadt, in der das Leben ganz normal weiter seinen Gang geht.

Ein ausgetrockneter Kanal voll Schutt und Abfallhaufen.

Ein Kontrollpunkt der Armee.

Geschäfte, vor denen Reissäcke aufeinandergetürmt zum Verkauf stehen.

Schilder von kleinen Hotels und Internetcafés, Werbeplakate von Pepsi-Cola.

Dann die Kreuzung von Khooni Chowk – dem Platz des Blutes, wo die Taliban die Leichen derer zur Schau stellen, die es gewagt haben, sich ihren Anordnungen zu widersetzen.

Und die Wortwechsel der Menschen auf der Straße:

»Das war ein ganz junges Mädchen!«

»Die Regierung muss die Verantwortlichen verhaften!«

»Wie sollen wir uns noch auf die Regierung verlassen? Dieses Jahr sind schon zwanzig Menschen ermordet worden, und nichts ist passiert!«

Der Rettungswagen bremst.

Die Sanitäter ziehen die Trage heraus, auf der Malala liegt.

Von Weitem könnte man meinen, sie schläft nur – wäre da nicht das weiße Laken mit den roten Flecken, das sie bedeckt.

Die fahrbare Trage wird durch die Gänge geschoben. Es herrscht der typische Krankenhausgeruch, der Geruch von wartenden, ängstlichen Menschen.

Unter den Gesichtern taucht der schwarze Schnurrbart von Malalas Vater auf. Verstört drückt er die Hand seiner Tochter.

Er ist auch an ihrer Seite, als die Sanitäter sie in einen Militärhubschrauber tragen, der gleich darauf startet.

Könnte Malala die Augen öffnen, dann sähe sie unter sich die Häuser, Moscheen, Hotels immer kleiner werden. Von oben sehen sie alle gleich aus – weiß und hellbraun.

Mingora, noch geschwächt von dem Krieg zwischen Taliban und Armee, liegt wie ein bleicher Patient im Herzen der pinienbedeckten Hügel.

Der große Fluss Swat schmiegt sich an die Stadt, lässt die Apfel- und Aprikosenbäume am Fuße der steilsten Hindukusch-Berge üppig gedeihen.

Könnte Malala fliegen, würde sie dort hinabgleiten wollen, durch die Wolken hindurch, die goldgelben Blätter der Bäume berühren und auf der Haut die feuchte Luft spüren, die von den rauschenden Wasserfällen zwischen den Felsen herüberweht.

Einmal hat die Lehrerin im Unterricht erzählt, die britische Königin habe anlässlich eines Besuchs in Swat vor langer Zeit gesagt: »Das ist die Schweiz Pakistans.« Und die Mädchen, die die Schweiz alle nicht kannten, haben gedacht, wenn es dort wirklich so schön ist wie in Swat, dann müssen die Schweizer Glückspilze sein.

Könnte Malala aus voller Lunge atmen, würde sie die würzige frische Luft spüren, die so typisch ist für den Oktober und bereits den Winter ankündigt.

Aber ihr Geist ist jetzt ganz woanders.

DREI JAHRE VORHER

EXPLOSIONEN

Januar 2009

Die Rotorblätter des Hubschraubers durchschneiden die Luft. Das Geräusch wird immer lauter, immer lauter, immer lauter. Dann hört man Maschinengewehrsalven und gleich darauf fallen Bomben.

Malala schreckt aus dem Schlaf.

Schon wieder der gleiche Albtraum, denkt sie, aufrecht im Bett sitzend, noch ganz benommen. Sie träumt ihn immer wieder.

Doch es sind nicht nur Träume; auch in hellwachem Zustand hört sie die gleichen Geräusche, verspürt sie die gleiche Beklemmung. Seit Monaten fliegen die Hubschrauber immer wieder über ihr Haus.

Eine Weile betrachtet sie die verschnörkelten goldenen Muster auf der purpurfarbenen Bettdecke, dann legt sie sich auf die Seite, mit dem Rücken zum Fenster, schließt die Augen und versucht im Rhythmus des Rotorengeratters wieder einzuschlafen. Wenn sie aufmerksam hinhört, kann sie heraushören, wie viele Hubschrauber es sind. Aber es ist nicht so wie Schafezählen. Es hilft nicht beim Einschlafen. Als die Hubschrauber das erste Mal über Mingora flogen, zu Beginn des Krieges, hat sie sich zusammen mit ihren kleinen Brüdern Khushal Khan und Atal Khan unter dem Bett versteckt.

Eines Tages haben die Soldaten auf einmal begonnen, Bonbons abzuwerfen, und solange das so ging, sind die Kinder des Viertels, sobald sie sie kommen hörten, hinaus auf die Straße gerannt. Aber dann gab es offenbar keine Bonbons mehr, und es wurde wieder weitergeschossen.

Malala weiß, dass nicht sie und ihre Familie gesucht werden, dass das Militär hinter den in den verschneiten Bergen versteckten Taliban her ist. Doch ebenso weiß sie: Sollte ein Geschoss versehentlich sein Ziel verfehlen, könnte es ihr Haus treffen und sie würden alle sterben.

In der Zeitung würde es heißen: »Malala Yousafzai, elf Jahre alt, Schülerin der Mittelschule, umgekommen zusammen mit ihren Brüdern, ihrer Mutter und ihrem Vater.«

Überschrift: KOLLATERALSCHÄDEN.

Doch die Hubschrauber sind nicht das einzige Problem in ihrem geliebten Swat-Tal.

Seit dem Jahresende 2007 führen die pakistanischen Taliban und die Armee des Landes gegeneinander Krieg, ohne dass eine der beiden Seiten die Oberhand gewönne. Zwölftausend Soldaten hat die Regierung geschickt, sie sind praktisch überall in Mingora, fahren sogar in Panzern herum. Auf der Seite der Feinde, so heißt es, gibt es nur dreitausend Taliban, und doch gelingt es dem Militär nicht, sie aufzustöbern.

Die Menschen der Region haben Angst, denn während dieser ganzen Zeit drängen die Taliban ihnen ihre rigiden Regeln auf.

Oft sind es einfach nur Handzettel, die sie in den Straßen verteilen – so zum Beispiel, als sie ihr Musikverbot verkündet haben.

Alle Inhaber von Musik- und CD-Geschäften sowie Internetcafés werden aufgerufen, innerhalb von drei Tagen ihre Arbeit aufzugeben und ihre begangenen Untaten zu bereuen, andernfalls werden ihre Läden in die Luft gesprengt.

Nach Einbruch der Dunkelheit sprechen die Taliban über das Radio zu den Leuten. Sie benutzen dazu einen illegalen Kanal. Erst vor ein paar Tagen haben sie abends verkündet:

> Vom 15. Januar an dürfen Mädchen nicht mehr zur Schule gehen. Wird diese Anweisung nicht befolgt, müssen die betreffenden Schulen und alle Verantwortlichen die Konsequenzen tragen.

Sie meinen es ernst. Im vergangenen Jahr haben sie bereits hundertfünfzig Schulen zerstört, nur weil sie auch von Mädchen besucht wurden.

Für Malalas Familie ist diese Nachricht zweifach schlimm: Malalas Vater, Ziauddin Yousafzai, hat selbst eine Mädchenschule gegründet. Wie soll es nun weitergehen? Vierzehn Jahre lang hat die Schule der Familie ihren Lebensunterhalt gesichert, ganz zu schweigen von der inhaltlichen Bereicherung.

»Malala, Frühstück ist fertig!« Es ist schon Zeit aufzustehen, nach einer weiteren unruhigen Nacht mit nur wenig Schlaf.

Ihre Mutter hat bereits Spiegeleier für sie gemacht, die zusammen mit *Da warro dodai* serviert werden, dem Fladenbrot, das in Swat häufig aus Reismehl gebacken wird. Sie scheint fest entschlossen, die eigenen Kinder, solange sie kann, ordentlich zu ernähren.

Während sie isst, denkt Malala schon mit Sorge an den Schulweg.

Es sind nur noch zwölf Tage, bis das Ultimatum der Taliban ausläuft und die Schulen geschlossen werden sollen, aber schon vorher könnte jemand auftauchen, der ihr Säure ins Gesicht schüttet.

Es soll schon zwei Mädchen passiert sein.

Beim Kontakt mit Säure schmilzt die Haut wie Plastik im Feuer, löst sich auf und verformt sich, auch Augen, Nase und Ohren. Man wird völlig entstellt – die Schmerzen möchte man sich gar nicht erst vorstellen. Es ist eine der Bestrafungen, die die Taliban all denen androhen, die ihre Anweisungen nicht befolgen.

Malalas Schulkittel ist blau. Er hat einen runden Kragen und eine weiße Borte. Er reicht bis zu den Knien und wird über hellen Hosen getragen. Für die kalte Jahreszeit gibt es noch einen roten Pulli zum Überziehen. Schließlich das große dunkle Tuch, das den Kopf umhüllt und über die Schulter geworfen wird.

Wie immer hat ihre Mutter die Schuluniform gebügelt und ordentlich in ihrem Zimmer aufgehängt. Malala trägt die Sachen gerne und möchte sie gleich nach dem Frühstück anziehen. Da fällt ihr ein, dass die Schulleiterin diesmal darum gebeten hat, in normaler Kleidung zu kommen, um weniger aufzufallen. Und so wählt sie ihre Lieblingstunika aus, die in Rosa.

Schließlich setzt sie ihren Harry-Potter-Ranzen auf und macht sich auf den Weg zur Schule, die nur eine Viertelstunde weit entfernt ist.

Während sie in ihren blauen Sandalen durch die Gasse geht, denkt sie darüber nach, dass zu dieser morgendlichen Uhrzeit überall auf der Welt ganz selbstverständlich Mädchen zur Schule gehen – und doch behaupten die Taliban, Schülerinnen wie sie würden in die Hölle kommen.

Sie geht mit ruhigen, gleichmäßigen Schritten, entlang an den Backsteinmauern, hinter denen die kleinen Gärten der Häuser liegen. Manche sind mit Stacheldraht gesichert. Hier und da ragen widerspenstige Zweige von Sträuchern oder ein Baumwipfel über den Mauerrand.

Ihr Vater meint, es sei besser, wenn er sie nicht begleitet. Das würde nur Aufmerksamkeit erregen, denn er ist in Mingora ein bekannter Mann, und er möchte sie keiner Gefahr aussetzen.

An diesem Schultag erscheinen viele ihrer Klassenkameradinnen in bunten, fröhliche Kleidern und es herrscht eine ungezwungene Atmosphäre. Doch bei der morgendlichen Versammlung bittet die Schulleiterin Madam Aghala die Mädchen, am nächsten Tag lieber weniger auffallende Farben anzuziehen.

»Sag mir die Wahrheit, Malala. Meinst du, die Taliban werden die Schule angreifen?«, wird Malala von Asmaa, einer jüngeren Schülerin, gefragt, die kaum die Tränen zurückhalten kann.

Malala weiß nicht, was sie antworten soll.

Sechzehn Plätze von siebenundzwanzig sind leer geblieben.

Drei von ihren Freundinnen sind schon mit ihren Familien fortgezogen, nach Peschawar, Lahore und Rawalpindi, Städte, die weit entfernt sind von hier und mehr Sicherheit bieten.

Auch Zakia ist nicht mehr da. Ihr Vater hat in einem Dorf nahe Mingora als Grundschullehrer gearbeitet, ihre Mutter als Krankenschwester, doch die vielen Militärangriffe und dazu die Kontrollen der Taliban haben sie veranlasst, mit der Familie an einen sichereren Ort zu gehen.

Trotz alledem findet sie die Kraft, der kleinen Asmaa zu antworten: »Mach dir keine Sorgen. Es wird alles gut gehen, wenn wir zusammenhalten.«

Hierzubleiben erfordert Mut, und obwohl sie selbst noch ein Kind ist, weiß sie doch schon, dass sie sich keine Angst anmerken lassen darf.

Immerhin hat ihr Vater ihr den Namen einer

Kämpferin gegeben: Malalai von Maiwand, die vor hundertfünfzig Jahren gelebt hat. Eigentlich lebte sie in Afghanistan, doch zu jener Zeit gab es zwischen Pakistan und Afghanistan noch keine Grenzen.

Malalai war die Tochter eines Hirten, etwa siebzehn oder achtzehn Jahre alt und bereits verlobt. Da fielen die Briten in Afghanistan ein und Malalais Vater und ihr Verlobter meldeten sich freiwillig in den Krieg. Malalai folgte ihnen, um Verwundete zu versorgen und den Kämpfenden Wasser und Waffen zu bringen.

Als die gegnerischen Truppen an einem Ort namens Maiwand aufeinandertrafen, wurde einer der Fahnenträger getötet, und die afghanischen Truppen verloren den Mut. In diesem Moment lief Malalai aufs Schlachtfeld und machte aus dem Schleier, der ihr Haar bedeckte, eine neue Fahne. Und sie begann zu singen:

Vom Blute meines Liebsten,
das er fürs Vaterland vergossen,
tupf ich einen roten Punkt mir auf die Stirn.
Und solche Schönheit wird es sein,
dass selbst die Gartenrose vor Neid erblasst.

Malalais stolze Haltung beschämte die Männer, die sich schon zurückziehen wollten, und bestärkte sie darin, weiterzukämpfen.

Malalai wurde von Gewehrkugeln getroffen und starb. Dank ihres Einsatzes aber gewann ihr Volk die Schlacht.

Auch Malala und ihre Schulfreundinnen singen häufig dieses Lied. Für sie ist es der Beweis, dass ein mutiges Mädchen unglaubliche Dinge vollbringen kann.

BLINDEKUH

Auf dem Heimweg von der Schule habe ich gehört, wie hinter mir ein Mann sagte: »Ich bringe dich um.« Also bin ich schneller gegangen, und nach einer Weile habe ich mich umgedreht, um zu sehen, ob er noch immer hinter mir war. Ich war sehr erleichtert, als ich feststellte, dass er am Handy gesprochen hatte. Er hatte jemand anderem gedroht.

Seit einigen Tagen führt Malala ein Tagebuch, in dem sie von ihrem Alltag erzählt. Sie liest es am Telefon Jawad vor, der sich die Sätze notiert.

Jawad ist ein Freund ihres Vaters, ein Journalist. Er hat nach einer Schülerin gesucht, die auf der Internetseite eines bekannten britischen Fernsehsenders einen Blog führen könnte: eine Art Tagebuch, das den Menschen auf der ganzen Welt begreiflich machen soll, wie schwierig die Situation im Swat-Tal geworden ist.

Ihr Vater hat einige Eltern gefragt, ob ihre Tochter vielleicht mitmachen könnte, doch alle haben abgelehnt. Sie haben Angst, und man kann es ihnen nicht verübeln.

Also hat er seinem Freund schließlich vorgeschlagen: »Und wenn Malala es macht?«

»Sie ist aber noch sehr jung«, hat Jawad geantwortet.

»Malala kriegt das hin!«

Und sie will es hinkriegen: um ihre Schule zu retten.

Bevor sie zur vereinbarten Uhrzeit den Anruf empfängt, steckt sie jedes Mal eine andere SIM-Karte in das Handy, zur Sicherheit, damit man sie nicht orten kann. Das hat Jawad ihr geraten.

Der Journalist hat sich auch einen falschen Namen für sie ausgedacht, unter dem sie das Tagebuch schreibt: Gul Makai.

Niemand außer ihrer Mutter, ihrem Vater und Jawad darf ihre wahre Identität kennen. Es ist ihr Geheimnis.

Mein Vater hat heute zu uns gesagt, dass die Regierung unsere Schulen schützen will. Auch der Premierminister hat es versprochen. Zuerst habe ich mich gefreut, aber jetzt denke ich, dass das Problem dadurch nicht gelöst wird. Hier in Swat

hört man jeden Tag von Soldaten, die irgendwo er-
mordet oder entführt wurden. Aber die Polizei lässt
sich nicht blicken.

Da wir heute Nachmittag keinen Unterricht hatten,
habe ich die ganze Zeit gespielt. Abends habe ich
ferngeschaut: In Lahore gab es Bombenanschläge.
Ich habe gedacht: Warum passiert so etwas in Pa-
kistan immer noch?

Heute ist schulfrei. Ich habe lang geschlafen, bin
erst gegen 10 Uhr aufgewacht und habe gehört,
wie mein Vater von drei neuen Toten erzählt hat,
die am Grünen Platz aufgefunden wurden. Es hat
mich sehr traurig gemacht.

Ihre Telefonate dauern nur wenige Minuten. Sie
sind so kurz, dass sie das Gefühl hat, die Wirk-
lichkeit mit all ihren widersprüchlichen Seiten gar
nicht richtig wiedergeben zu können. Oder lauter
Einzelheiten zu vergessen.

Heute Morgen zum Beispiel hat ihr Vater auch
den Namen einer Frau erwähnt, die man ermordet
auf dem Grünen Platz gefunden hat. »Shabana.«
Der Name geht ihr nicht mehr aus dem Kopf.

Ihr Vater spricht immer noch beharrlich vom
Grünen Platz, auch wenn das sonst niemand mehr

tut. Die Bewohner von Mingora haben den Platz umgetauft in den Platz des Blutes, denn an diesem Ort stellen die Taliban die Leichen all derer zur Schau, die ihre Anweisungen nicht befolgt haben. Die Toten sollen allen eine Warnung sein. Und die Leute reden von nichts anderem mehr.

Was Shabana wohl getan hat, um so ein schlimmes Ende zu nehmen?

»Überraschung!« Eine Schar von Kindern wuselt um Malala herum, die noch ganz in Gedanken versunken war. Onkel Zeeshan und seine Familie sind angekommen. In ihrem Haus auf dem Land, wo die Kämpfe noch heftiger sind, haben sie sich nicht mehr sicher gefühlt. Nachdem Malala ihrer Mutter ein wenig im Haushalt geholfen und die Hausaufgaben gemacht hat, spielt sie nun also den Nachmittag über mit ihren Cousins und Cousinen draußen im Hof zwischen den hohen Backsteinmauern. Sie versuchen aufzupassen, dass sie beim Rumrennen die aufgehängte Wäsche nicht herunterreißen.

Die Hühner scharren um sie herum, und hinten in einer Ecke liest ihr Vater die Zeitung.

Mit ihren elf Jahren ist Malala die Älteste und fühlt sich ein bisschen verantwortlich für die anderen, aber schließlich lässt sie sich von der Sorglosigkeit der Kleineren anstecken und spielt ausgelassen mit.

Ihre Cousins spielen am liebsten Blindekuh. Malala bekommt die Augen mit einem Schal verbunden und muss versuchen, die anderen zu fangen.

Auch die Taliban verhüllen ihr Gesicht, wenn sie ihre Strafen vollziehen.

Einmal hat sie sich am Computer eine von diesen CDs angesehen, die auf der Straße verteilt werden: Vor den Augen der Menschenmenge wurde da ein »Schuldiger« mit dem Gesicht nach unten auf den Boden gelegt und drei oder vier Männer mit Kapuzen über dem Kopf hielten ihn fest. Und ein fünfter schlug ihm mit einer dicken Lederpeitsche auf den Rücken.

»Eins, zwei, drei ...«, zählt Malala mit dem Schal über den Augen, um ihren Cousins und Cousinen etwas Zeit zu geben, bevor sie sie sucht.

»Eins, zwei, drei ...«, zählte die Zuschauermenge auf dem Video jeden Peitschenhieb laut mit.

Malala kann einfach nicht begreifen, weshalb die Menschen dorthin gehen, um so einem Schauspiel beizuwohnen.

In einem anderen Video hat sie in der ersten Reihe einen kleinen Jungen stehen sehen. Er mochte gerade mal fünf Jahre alt gewesen sein, so alt wie ihr Bruder Atal. In dem Video hat man den »Schuldigen« die Augen verbunden und sie nebeneinander aufgereiht. Um sie anschließend zu erschießen.

Die schlimmste Art von Strafe aber erwartet Politiker, Polizisten oder Menschenrechtsaktivisten. Sie werden enthauptet und ihre Leichen in drastischer Weise auf der Straße zur Schau gestellt, mit dem Kopf auf dem Bauch. Manchmal liegt daneben noch ein Zettel mit der Warnung: »Wer diese Leiche vor morgen Mittag entfernt, wird dasselbe Ende nehmen.« Womöglich haben sie so etwas auch mit Shabana gemacht.

Aber jetzt versucht Malala, nicht mehr an die Taliban und all das grausame Unrecht zu denken.

Sie dreht sich im Kreis, um die Orientierung zu verlieren – das gehört zum Spiel. Dann muss sie das Gleichgewicht wiederfinden und losrennen, so schnell sie kann.

GESCHICHTEN

Sie beten, die offenen Handflächen vor das Gesicht gekehrt.

Dann essen sie im Wohnzimmer zu Abend, im Schneidersitz auf dem Boden vor den Sofas sitzend. Malalas Mutter hat Rindercurry mit viel Reis zubereitet.

Malala hat das blaue Tischtuch über den Teppich gebreitet und das gute Geschirr aufgedeckt, schließlich haben sie Gäste. Sie ist es auch, die die Verwandten bedient. Und nach dem Abendessen schenkt sie allen Tee mit Milch aus.

Schließlich setzt ihr Vater sich auf das Sofa und schaltet das kleine tragbare Radio ein.

Es wirkt alles ganz normal – und doch ist es eine andere Normalität als noch vor anderthalb Jahren. Damals gingen sie nach dem Abendessen gemeinsam spazieren. Es kommt Malala unglaublich lange her vor.

Inzwischen ist es zu gefährlich, um nach Sonnenuntergang hinauszugehen.

So bleiben sie im Haus und hören Radio. Einen Sender ohne Musik, der nur die Mahnreden der Taliban überträgt.

»Heute Abend scheint es keinen Empfang zu geben«, sagt ihr Vater. Aber er sucht weiter nach dem Sender. Er dreht an dem Knopf und alle spitzen die Ohren, ob sie womöglich die vertraute Stimme von Maulana Fazlullah erhaschen, dem Führer der Taliban, oder die seines Stellvertreters, Maulana Shah Dauran.

Ihr Vater ist alles andere als ihr Anhänger, aber er verfolgt ihre Sendungen, um über das Vorgehen der Taliban auf dem Laufenden zu sein und herauszufinden, wie er seine Familie und seine Schule schützen kann.

»Wahrscheinlich hat das Militär den Empfang gestört«, sagt Sajid, ein Freund des Vaters, der noch nach dem Essen zu ihnen gestoßen ist.

Sajid ist auch Malalas Englischlehrer. Er redet immer davon, nach Kanada auszuwandern, aber dann bleibt er doch im Land.

Er wohnt in Shakardara, einem Dorf weiter im Norden, und es ist seit über zwei Wochen das erste Mal, dass er sie besucht, denn die Armee hat endlich die Ausgangssperre aufgehoben.

»Wie gut, dann kannst du ja wieder zum Unterrichten kommen!«, freut sich Malala. Aber ihr Lächeln verschwindet schnell wieder, als ihr einfällt, dass es ihre Schule womöglich schon bald nicht mehr gibt.

»Malala, Malala, lass uns Fotos anschauen!« Zum Glück lenken die kleinen Cousins sie ein wenig ab. Sie sind ganz hibbelig und wollen unbedingt alte Fotoalben angucken. Sie lieben es, ihr tausend Fragen dazu zu stellen.

»Und wer ist das hier?«

»Und der da, wie heißt der?«

»Was habt ihr da gemacht?«

Im Grunde schaut sie sich ebenfalls gerne die alten Fotos an, vor allem die von den Picknickausflügen.

Sie sind eine sonntägliche Tradition der Familie Yousafzai. Oder zumindest waren sie das einmal.

Für ihre Cousins und Cousinen, vor allem die jüngsten unter ihnen, die zu Kriegszeiten geboren sind, ist es wie eine Märchenstunde, wenn sie die Bilder von den Ausflügen sehen und Malalas Erklärungen dazu hören. Für die Kleinen sind es Geschichten aus einer friedlichen Welt, die sie nie kennengelernt haben.

»Das hier ist Marghazar. Da gibt es den berühmten Weißen Palast, der ganz aus Marmor ist und in dem der Fürst von Swat früher seine Sommer verbracht hat, bevor das Tal ein Teil von Pakistan wurde.«

»Und das hier ist der Park von Fiza Ghat. An dem Sonntag haben wir wahnsinnig viel Fisch gegessen! Und dabei die ganze Zeit auf die Berge geschaut ... In ihrem Innern ist nämlich ein Smaragdschatz verborgen.«

»Das ist Kanju ...«

In Kanju wurden vor ein paar Monaten zwei Kinder auf einer Polizeistation verletzt. Der Täter ist hereingekommen und hat auf die Polizisten geschossen. Und aus irgendeinem Grund waren diese Kinder dazwischen.

Aber das erzählt sie ihren Cousins nicht.

»Schlafenszeit!«, sagt sie stattdessen und klappt das Album zu.

Ihre Mutter hat sich bereits auf ihr Zimmer zurückgezogen, wie sie es immer tut, wenn Männer ins Haus kommen, die nicht zur Familie gehören.

»So, ihr Lausejungs, ihr auch ab in die Heia ...«, sagt Malalas Vater zu seinen Söhnen.

Sie hingegen darf länger aufbleiben.

Sie blickt aus dem Fenster, in Richtung der Berge: Die Dämmerung erscheint ihr immer so voller dunkler Vorzeichen.

Irgendwo auf diesen Anhöhen hält sich Maulana Fazlullah verborgen. Von dort oben spricht der Talibanführer im Radio, von dort aus geht er gegen seine Feinde vor.

Schon bald werden die Berge nicht mehr zu sehen sein und die Lichter von Mingora werden eins nach dem anderen schüchtern aufleuchten, so als wollten sie lieber nicht zu sehr auffallen.

Hinter all diesen verschwommenen kleinen Lichtern sitzen Familien wie die ihre, vereint über einem gemeinsamen Essen, mit ihren eigenen Geschichten. Und in dem Moment begreift Malala etwas Wesentliches: Die Taliban können schießen, Bomben werfen, Menschen mit Säure attackieren, aber sie können nicht alles zerstören. Sie können die glücklichen Erinnerungen der Menschen nicht auslöschen.

MAULANA-RADIO

Maulana Fazlullah – irgendwann fällt die Rede der Erwachsenen immer auf ihn, egal worüber zuvor gesprochen wurde. Er ist der Chef der Taliban im Swat-Tal und seine Lebensgeschichte ist ein wirres Gewebe aus Tatsachen und Legenden.

Als junger Mann arbeitete er bei der Sessellift-bahn, die zur Überquerung des Flusses erbaut wur-de, daneben war er Moscheeprediger. Jetzt ist er etwa dreißig Jahre alt.

Manche sagen, er könne den heiligen Koran auswendig, andere meinen, er sei nur ein Betrüger und habe nie eine Schule abgeschlossen.

Es geht das Gerücht, er habe die Tochter seines Lehrmeisters geheiratet, eines wichtigen Religi-onsführers, der die jungen Männer zum »Heiligen Krieg« in Afghanistan aufrief. Er habe sie einfach zur Frau genommen, ohne ihren Vater zu fragen, weil er Angst vor einer Abfuhr hatte.

Es heißt, er sei immer auf einem weißen Pferd unterwegs.

Nur eines lässt sich mit Sicherheit sagen: Das Radio hat ihm Erfolg gebracht.

Mithilfe des Radios hat Maulana Fazlullah ein riesiges Publikum erreicht.

Auf diese Weise ist er bis in die Küchen und Schlafzimmer der Menschen vorgedrungen, hat er fromme Frauen und arbeitslose junge Männer erreicht. Im Swat-Tal nennt man ihn deshalb auch den »Radio-Maulana«.

Anfangs waren seine Predigten noch allgemein gehalten. Er forderte die Leute auf, fünfmal am Tag zu beten und keine Sünden zu begehen. Er kritisierte die korrupte Regierung und den Krieg der Amerikaner in Afghanistan.

»Warum hören so viele auf ihn, Sajid?«, will Malala wissen.

»Ausgezeichnete Frage!« Malala stellt belustigt fest, dass Sajid auch außerhalb der Schule wie ein Lehrer redet. »Weißt du«, fährt Sajid fort, »am Anfang dachten viele, Maulana Fazlullah sei so eine Art Zorro, nur dass er eben statt der schwarzen Maske einen langen Bart trägt, der das halbe Gesicht verbirgt, und statt dem Hut einen schwarzen Turban. Oder noch besser: Sie stellten sich eine Art Robin Hood vor. Denn er versprach den Arbeitslosen Arbeit und den besitzlosen Tagelöhnern ein Stück Land zum Bewirtschaften. Gefüllte Bäuche und Gerechtigkeit zu Lebzeiten und das Paradies nach dem Tod. Was will man mehr? Und dieses Blendwerk, diese Fata Morgana hat Fazlullah den Leuten verkauft.«

Malala betrachtet ihren Lehrer, wie er dort auf dem Sofa sitzt: So dünn, mit dem längeren Haar, das wohl seit Monaten keinen Friseur gesehen hat, wirkt er ziemlich mitgenommen.

»Hüte dich davor, auf eine Fata Morgana hereinzufallen, Malala. Denn wenn du wieder aufwachst, findest du dich mitten in der Wüste wieder, alleine und ohne Wasser. Aber die Leute haben an Fazlullahs Trugbild geglaubt!«

Die einen haben ihm Geld und Gold geschenkt, die anderen Mehl, Öl oder Zucker, wieder andere Zement und Backsteine. Die Frauen haben ihm ihren Schmuck geschenkt, Symbol ihrer Würde und ihrer Unabhängigkeit. Andere Güter hat er sich selbst genommen, ohne zu fragen: so wie das Stück Land hinter dem Fluss, nicht weit von Mingora, wo er dank all der Spenden eine große, zweistöckige *Madrasa* errichtet hat, eine Religionsschule. Und die Behörden haben ihn jahrelang machen lassen, niemand hat ihn gestoppt.

Doch je mehr Anhänger er gewann, desto strenger und intoleranter wurde Maulana Fazlullah. Und er begann, alles zu verbieten.

Es ist eine lange Liste.

Kinofilme anschauen oder fernsehen: verboten.

Musik hören oder tanzen: eine Sünde.

Sich rasieren: eine zu ächtende westliche Angewohnheit.

Impfungen gegen Kinderlähmung: ein Komplott der Amerikaner.

Es gibt nicht einen Aspekt des Lebens, gegen den der Talibanführer nicht etwas einzuwenden hätte. Auch die Frauenmode gehört dazu.

Wie sich die Frauen in Swat kleiden, ist seiner Meinung nach nicht in Ordnung. Im Unterschied zu anderen Gebieten Nordpakistans spielt die Burka hier kaum eine Rolle. Wenn die Frauen aus dem Haus gehen, tragen sie über Hose und Tunika eine Art *Tschador*, der meistens weiß ist, den Kopf bedeckt und den Körper umhüllt; in dieser Gegend hier nennt man ihn *Parroney*. Die jüngeren Mädchen tragen den *Saadar*, ein kürzeres Tuch, das im Winter aus Schafwolle, im Sommer aus Baumwolle oder Leinen besteht. Im Haus dagegen trägt man ein leichtes Tuch, das in Paschtu *Lupata* und auf Urdu *Dupatta* heißt.

Für Fazlullah ist das nicht genug. Wenn es nach ihm geht, soll es die *Burka* sein, die komplette Verhüllung des Körpers mit nur einem kleinen Sichtfenster vor den Augen. Oder noch besser: Die Frauen sollen erst gar nicht nach draußen gehen, denn ihr Reich ist das Haus. So predigen es die Taliban.

»Das ist reiner Terrorismus unter dem Decknamen der Religion«, erklärt Malalas Vater. »Das habe ich auch zum Barbier gesagt, heute Morgen, als er sich weigerte, mir den Bart zu stutzen: ›Warum benutzt ihr nicht euren Verstand? Ihr müsst doch alle arbeiten und eure Familien ernähren. Wenn ihr gute Muslime sein wollt, dann geht in die Moschee und betet, und im Ramadan fastet ihr.‹ Das habe ich zu ihm gesagt. Aber er hat nicht reagiert.«

Sajid hört zu, versunken zwischen den rot-grünen Mustern des Sofastoffs, den Blick traurig in die Ferne gerichtet.

»Tatsächlich ist es so, mein lieber Ziauddin, dass die Menschen allmählich aufwachen und zu Maulana Fazlullah und seinen Anhängern am liebsten sagen würden: ›Bei allem Respekt, verschwindet von hier!‹ Aber jetzt ist es zu spät. Es gibt zu viele von ihnen, und sie sind überall. Sie zünden große Feuer an und verbrennen Fernsehgeräte, Videorekorder und Computer. Sie lauern Autofahrern an Kreuzungen auf und verlangen von ihnen, ihre Autoradios auszubauen. Sie ermorden alte Menschen, um der Gesellschaft ihr Gedächtnis, ihre Weisheit zu nehmen, und sie zerstören sogar Moscheen, wenn die *Mullahs* sie nicht unterstützen wollen. Sie sind imstande, unsere Frauen mit Säure zu entstellen. Sie wollen unsere Kultur auslöschen.«

Diese Gespräche lassen Malalas Herz heftig schlagen. Sie spürt, dass das Ultimatum der Taliban über ihr und anderen fünfzigtausend Schülerinnen von Swat wie ein Countdown tickt, an dessen Ende sie ein Sprung ins Leere erwartet.

Sie könnte nicht sagen, was sie mit größerer Angst erfüllt: die Vorstellung, Tag für Tag weiter zur Schule zu gehen, oder die, es nach dem 15. Januar nie wieder tun zu können.

Es bleibt nun kaum noch mehr als eine Woche – und dann?

Tausend Fragen schwirren ihr durch den Kopf.

Heute Abend wird es keine Antworten geben.

Also sagt sie allen Gute Nacht und hofft auf einen Schlaf ohne Albträume.

MÄDCHEN

Aufgabe 1: Ein Autobus fährt am ersten Tag 280 Kilometer, am zweiten Tag 950 Kilometer und am dritten Tag 390 Kilometer.

Aufgabe 2: Ein Obsthändler verkauft am Montag 100 Kilogramm Früchte, am Dienstag 50 Kilogramm ...

Die einzige Zahl, auf die Malala sich an diesem Morgen konzentrieren kann, ist die Sechs: Wie viele Tage sind es noch, bis das Schulverbot für Mädchen in Kraft tritt?

Isaac Newton würde sie tadelnd ansehen. Sein Bildnis hängt im Eingang über den Bänken, wo die Mädchen ihre Schultaschen ablegen, bevor sie ins Klassenzimmer laufen, und wo eine der Kleineren auch ihr Kopftuch abgelegt hat. Von den Grundschulklassen bis zu den älteren Stufen gibt es hier nur weibliche Schüler.

Malalas Brüder Khushal und Atal, die zehn und

fünf Jahre alt sind, besuchen andere Einrichtungen.

Für Malala ist die Schule wie ein zweites Zuhause. Als sie noch klein und ihre beiden Brüder noch nicht geboren waren, haben ihre Eltern in einer winzigen Wohnung zwischen den Klassenräumen gewohnt. Malala verbrachte den Tag damit, zwischen den Pulten herumzulaufen und zu spielen, und wenn Unterricht war, setzte sie sich zu den älteren Kindern und hörte mit großen, neugierigen Augen den Lehrern zu.

Im Lauf der Jahre hat sie so viel gelernt.

Jetzt, wo sie die siebte Klasse besucht, schreibt sie Aufsätze, liefert sich Redewettbewerbe mit ihren Mitschülerinnen, lernt Mathematik, Naturwissenschaften und verschiedene Sprachen.

Neben Urdu, der Hauptsprache im Unterricht, hat sie auch Paschtu – es ist die Alltagssprache ihrer Familie und der meisten Menschen, die im Norden Pakistans leben. In Englisch gehört sie zu den Klassenbesten und in der islamischen Religionsstunde lernt sie auch ein wenig Arabisch.

Auf Urdu und Paschtu kennt sie zahlreiche Gedichte, die von Liebe und Abenteuern erzählen.

Zu Hause hat sie von klein auf Gedichte gelernt, denn ihr Vater hegt große Verehrung für den Dichter Khushal Khan Khattak; deshalb hat er sowohl seine Schule als auch einen seiner Söhne nach ihm benannt. »Khushal« bedeutet »glücklich« – ein viel fröhlicherer Name als Malala, der »kummervoll« bedeutet!

Doch auch Khushals Gedichte sind nicht immer fröhlich.

Ob sie in der Ebene sprießen
oder auf den Bergen wachsen,
am Ende werden die Frühlingsblumen,
die in so prächtigem Glanze stehen,
ihre Blütenblätter verlieren.

Manchmal flüchtet sie sich in diese Bücher, denn selbst die melancholischsten Gedichte sind ihr lieber als die unsichere Gegenwart.

Aber heute hat Laila in ihrer üblichen guten Laune während der Pause gesagt: »Jetzt reicht's mal mit den traurigen Geschichten!«

Zum Glück habe ich immer noch Laila, denkt Malala und lächelt ihre Freundin an.

Und vermutlich denken viele Menschen in Mingora: Zum Glück gibt es noch Lailas Vater. Denn er ist Bäcker und backt weiterhin das Brot für die Leute, anstatt alles stehen und liegen zu lassen und fortzugehen.

Es ist traurig mit anzusehen, wie in der Stadt

ein Geschäft nach dem anderen schließt. Ein paar jedoch, wie die Eltern von Laila, halten weiterhin die Stellung.

»Erzähl doch mal, wie du *Muharram* verbracht hast«, sagt Laila. Nach dem islamischen Kalender beginnt das Jahr mit dem Monat Muharram, und zur Muharram-Feier gab es ein paar Tage frei.

»Wir waren in Buner«, antwortet Malala. »Bist du da schon mal gewesen? Es ist wunderschön dort. So friedlich! Man hört keine Schüsse, keiner hat Angst. Es war so wie einer der Ausflüge, die wir früher immer gemacht haben. Und wir haben meine Onkel, Tanten und Cousins getroffen.«

»In Buner steht doch das Grabhaus von Pir Baba, nicht wahr? Stimmt es, dass das Quellwasser dort Leprakranke heilt?«, fragt Laila neugierig.

»Das weiß ich nicht, aber es waren unglaublich viele Leute dort. Manche sind zum Beten gekommen, denn es heißt, Pir Baba würde ihre Gebete schon erhören, noch bevor sie sich vor seinem Grab verneigt haben. Andere haben einfach nur einen Ausflug dorthin gemacht. Wir waren auch im Basar und haben uns die Läden angeschaut.«

»Hast du irgendwas gekauft? Zeig her!«

»Nein, mir hat nichts gefallen. Aber meine Mutter hat sich ein Paar Ohrringe gekauft und Armreife.«

»Wie könnt ihr nur über solches Zeug reden?«, unterbricht Fatima jäh das Gespräch der beiden. »Habt ihr nicht von Shabana gehört?«

Shabana, wiederholt Malala für sich im Stillen; es ist der Name, der ihr schon die ganze Zeit im Kopf herumspukt.

»Shabana, das ist diese Tänzerin, die auf Hochzeiten aufgetreten ist«, erklärt Fatima. »Sie sind vorgestern Nacht zu ihr nach Hause gekommen. Es hat an der Tür geklopft und sie hat gefragt: ›Wer ist da?‹ – ›Wir wollen für ein Fest eine Tanzaufführung buchen.‹ Sie hat es geglaubt und ganz unbefangen die Tür geöffnet. Dann haben die Nachbarn ihre Schreie gehört.«

»Waren es die Taliban?«, fragt Malala.

»Ja. Sie haben sie geschlagen, an den langen schwarzen Haaren gezogen und gesagt: ›Du musst sterben!‹ Shabanas Mutter ist herbeigeeilt und hat die Männer angefleht, ihre Tochter zu verschonen, sie hat ihnen geschworen, dass sie nie wieder tanzen werde. Aber sie haben die Mutter nur angespuckt: ›Schweig, Alte!‹« Sprudelnd wie ein Wasserfall erzählt Fatima von den Geschehnissen. »Die Mutter ist ihnen auf nackten Füßen nachgelaufen, durch die Straßen hindurch, trotz der Kälte und den Scherben auf dem Boden, und hat sie immer weiter angefleht. Auf dem Platz des Blutes

dann hat Shabana nur noch eine Bitte geäußert ...«
Fatima macht eine sekundenlange Atempause,
die Malala und Laila unendlich erscheint. »... und
zwar, dass sie sie lieber erschießen mögen, statt ihr
die Kehle durchzuschneiden. Und so haben sie es
auch getan, während die Mutter vor ihnen auf die
Knie gesunken ist. Am nächsten Tag lag Shabanas
Leiche auf dem Platz des Blutes. Um sie zu ver-
höhnen, haben sie noch einen Haufen Geldscheine
und CDs von ihren Aufführungen auf sie geworfen, und Fotos, die sie aus ihrem Album gerissen
hatten.«

Malala und Laila bleiben ganz still.

Sie haben keine Fragen mehr. Sie wollen keine
Antworten hören.

Die Schulglocke ertönt.

Die Pause ist vorbei. Und mit ihr die Illusion, sie
könnten, und sei es nur für einen Tag, ganz nor-
male Mädchen sein.

BASAR

Schuhe, Kleider, Spielzeug, Schmuck, Parfums, BHs, bunte Nagellacke – die Marktstände auf dem Cheena-Basar, dem Basar »der Quelle«, sind überbordend voll mit Waren.

Die Leute von Mingora haben ihn immer den »Markt der Frauen« genannt, nur dürfen Frauen jetzt nicht mehr hingehen.

Vor wenigen Monaten noch haben Malala und ihre Mutter hier die Stoffe eingekauft, die sie für die Sofas im Wohnzimmer oder die Schuluniform brauchten.

Vor Eid al-Fitr, dem Fest des Fastenbrechens am Ende des Ramadan, wimmelte der Basar immer von Kunden auf der Suche nach Geschenken. Und am Tag der Unabhängigkeit schmückten unzählige pakistanische Fähnchen sowie Girlanden aus Blüten und Blättern den Basar.

Jetzt nicht mehr.

Es ist nicht mehr der gleiche Markt, seit die Taliban den Frauen verboten haben, einkaufen zu gehen. Auf der Zufahrtsstraße ist gut sichtbar zwischen zwei Gebäuden ein Spruchband aufgehängt, auf dem steht:

Frauen sind aufgerufen, auf Einkäufe im Cheena-Basar zu verzichten. An ihrer Stelle sollen die Männer gehen.

So lautet die Anweisung.

Also halten Malala und ihre Mutter sich vom Basar fern und schicken stattdessen den Vater hin, wenn sie dringend etwas von dort brauchen. Und der berichtet ihnen davon, wie die Ehemänner, Brüder oder Väter ratlos und zögernd vor einem Schuhstand stehen und sich verzweifelt an die Anweisungen der Frauen zu Hause zu erinnern versuchen. In den Augen der Männer sehen die Schuhe alle gleich aus! Aber schließlich können sie nicht mit leeren Händen oder mit der falschen Ware heimkommen ...

Malalas Mutter lacht: »Das kann ich mir gut vorstellen!«, sagt sie. »Deshalb schicke ich dich ja auch nur, wenn es gar nicht anders geht!«

Für die Händler ist es schlimm, untätig herumzusitzen und die Wände ihrer halbleeren Geschäfte anzustarren, in Erwartung von Kunden, die nicht kommen. Sie können kaum noch das Geld für die Miete und das elektrische Licht aufbringen.

Manche, die bisher Kosmetik, Parfum oder Unterwäsche verkauft haben, haben Drohbriefe erhalten.

Aber es geht auch das Gerücht, dass die Taliban für andere Händler eine niedrigere Miete erstreiten. Vielleicht wollen die Milizionäre sich nicht allzu viele Feinde unter den Geschäftsleuten machen.

Aber es ändert nicht viel: Der Markt ist inzwischen fast verlassen und es gibt dort nur wenig Arbeit.

Die Frauen haben sich in die Häuser zurückgezogen, zu groß ist ihre Angst, nicht nur einkaufen zu gehen, sondern überhaupt einen Fuß vor die Tür zu setzen, wenn es nicht unbedingt nötig ist.

Zuerst haben die Taliban sich über die Tänzerinnen und Musikerinnen ereifert. Sie haben sie gezwungen, ihre Arbeit aufzugeben und sich öffentlich zu einem moralisch einwandfreien Leben zu bekennen. Nach dem, was Shabana zugestoßen ist, hat jemand auf die Eingangstür der Tanzschule geschrieben: »Wir haben aufgehört zu tanzen, bitte nicht klopfen.«

Dann haben sie begonnen, alle Frauen ins Visier zu nehmen, die berufstätig sind. Sie haben von ihnen verlangt, die Burka zu tragen, die sie von Kopf bis Fuß verhüllt.

Frau Bibi, die in Malalas Schule die Räume putzt und gerne bunte, geblümte Tücher trägt, klagt immer: »Ich kriege nicht genug Luft darin.«

Sie ist nicht die Einzige.

»Ich komme mir vor wie ein Pferd mit Scheuklappen«, hat Frau Shahi, die in den Grundschulklassen unterrichtet, einmal wütend geschnaubt.

Sharisa, die jüngste Lehrerin, versucht, die Dinge weniger dramatisch zu nehmen: »Ich habe eben zwei Identitäten, so wie Spiderman!«, sagt sie zu ihren Schülerinnen, während sie sich mit zerzaustem Haar aus der Unmenge von Stoff schält.

Es ist riskant geworden, das Haus zu verlassen.

Man erzählt, eine Lehrerin, deren einzige Schuld darin bestand, trotz der Verbote weiter ihrem Beruf nachzugehen, sei entführt worden; sie musste Fußkettchen mit Glöckchen tragen wie eine Prostituierte und wurde anschließend ermordet.

Schon schwieriger ist es, den Krankenschwestern ihre Arbeit zu verbieten, schließlich sind alle auf Krankenhäuser angewiesen, auch die Taliban und ihre Frauen. Doch man hat die Schwestern mit Drohbotschaften an ihrer Haustür ermahnt, sich

»islamisch« zu kleiden. Es ist nicht gerade leicht, Kranke zu versorgen, wenn man eine Burka trägt – aber was sollen sie tun, wen sollen sie um Schutz und Hilfe bitten? Etwa die Polizisten, die zu Hunderten ihren Beruf aufgeben und dies namentlich in Zeitungsanzeigen verkünden, um nicht ermordet zu werden? Also haben die Krankenschwestern gemacht, was ihnen aufgetragen wurde.

Manche glauben am Ende sogar an die ganze Sache, wie eine Kollegin von Zakias Mutter, die gesagt hat: »Unser Reich ist das Zuhause. Hätte ich eine eigene Familie, würde ich selbst meinen Mann und meine Söhne opfern und alles für die Sache von Maulana Fazlullah geben.«

Zakias Mutter hätte ihr gerne erklärt, dass sie einem Irrtum unterliegt, doch sie hatte Angst, denunziert zu werden. So hat sie stattdessen ihre Koffer gepackt und mit Mann und Tochter das Tal verlassen.

Oft verlesen die Taliban nach Einbruch der Dunkelheit eine Liste von Namen im Radio: die Namen der »Schuldigen«, die den Tod verdienen, und die Namen der »Reumütigen«, die verschont bleiben dürfen.

Manchmal tauchen in der Liste der Reumütigen die Namen von Krankenschwestern, Lehrerinnen oder auch Schülerinnen auf, die es aufgegeben haben, zu arbeiten, zu unterrichten oder zur Schule zu gehen.

Diese Namen sind nichts anderes als öffentlich präsentierte Jagdtrophäen. Und jeder Frauenname, der im Radio verlesen wird, ist der Name einer Frau, die verschwindet: von den Märkten, aus der Schule, aus dem Beruf, aus dem Leben.

FERNSEHKAMERAS

Malala macht die Augen gerade so weit auf, dass sie die Uhr erkennen kann.

Es ist erst kurz nach fünf. Die üblichen Detonationen haben sie aufgeweckt, gefolgt vom aufgeregten Gekrähe des Hahns. Vielleicht ist auch er aus dem Schlaf hochgeschreckt.

Sie versucht, wieder einzuschlafen, denn es ist noch zu früh zum Aufstehen, aber da ist ein Geräusch, das wie das Hoftor klingt. Also versucht sie, ihre Benommenheit abzuschütteln, und zieht sich schnell an. Sie macht sich Sorgen um ihren Vater.

Ihre Mutter hat hinter dem Schlafzimmerfenster eine Leiter aufgestellt, sodass ihr Vater fliehen kann, falls die Taliban ihn nachts aufsuchen sollten.

Malala bedeckt ihre Haare mit einem braunen Wolltuch und schlingt es um sich. Aus ihren blauen Sandalen schauen die Zehen mit den rot lackierten

Nägeln hervor. Sie eilt zum Eingangsbereich, der noch im Dunkeln liegt, und sieht draußen im Hof ihren Vater mit einem Mann reden. Die beiden diskutieren lebhaft.

Auch Malala hat in letzter Zeit über verschiedene Wege nachgedacht, wie ihr Vater sich, wenn nötig, in Sicherheit bringen könnte.

Eine der Möglichkeiten besteht darin, dass sie ins Bad rennt und die Polizei anruft (in der Hoffnung, dass die rechtzeitig kommt).

Oder aber ihr Vater versteckt sich in der Speisekammer (und hoffentlich werden sie dann nicht ausgerechnet dort suchen).

Eine andere Möglichkeit wäre, dass er in die Kleider der Mutter schlüpft, wobei er gut sein Gesicht und den Schnurrbart verhüllen müsste (die Burka wäre in diesem Fall ideal, aber seine tiefe Stimme könnte ihn verraten).

Malala nähert sich der Tür, die zum Hof hinausführt und leicht offen steht.

Der Mann und ihr Vater haben sie nicht bemerkt und diskutieren noch immer.

Sie geht noch ein wenig näher und versucht dabei, kein Geräusch zu machen.

Das Gesicht kommt ihr bekannt vor.

Und schließlich stößt sie einen Seufzer der Erleichterung aus.

Es ist Jawad, der Journalist!

Und plötzlich fällt es ihr wieder ein: Heute ist der 14. Januar.

Jawad ist in die Stadt gekommen, um einen Dokumentarfilm über die Mädchenschulen zu drehen, und gerade versucht er, ihren Vater zu überreden, ihn auch Malalas Alltag filmen zu lassen.

Anfangs sträubt sich ihr Vater: Er möchte das Leben seiner Tochter und seiner Familie nicht gefährden. Aber dann gibt er nach: Die Welt soll wissen, was in Swat vor sich geht.

Jawad ist in der Nacht von Peschawar aus angereist, zusammen mit einem pakistanischen Kameramann; zur Sicherheit sind sie über kleine Nebenstraßen gekommen. Alan, der amerikanische Reporter, der das Projekt in Auftrag gegeben hat, ist nicht dabei – Mingora ist zurzeit zu gefährlich für einen Ausländer. Unter diesen Bedingungen ist es eine Selbstverständlichkeit für Malalas Vater, Jawad Gastfreundschaft und Unterkunft zu gewähren – das gebietet ihm seine Ehre als Paschtune.

»Assalam alaikum«, grüßt Jawad kurz darauf und bittet um Erlaubnis, Malalas Zimmer zu betreten.

»Walaikum Assalam! Pakhair Raghley! – Ich

hoffe, ihr kommt in Frieden«, antwortet sie, wie man es zu Gästen üblicherweise sagt. Und der Kameramann beginnt sofort zu drehen.

Sie fühlt sich unwohl dabei, auch wenn sie nicht zum ersten Mal vor einer Fernsehkamera steht.

Vor über einem Jahr hat ihr Vater sie zum Presseklub in Peschawar mitgenommen. Der Saal war voll mit Reportern – die von der Presse hatten Notizbücher in der Hand, die vom Fernsehen Kameras auf der Schulter. Es herrschte ein einziges Gewirr aus Stimmen, überall wurde getuschelt und geraucht.

Als Malala aufgefordert wurde, etwas zu sagen, war sie überrascht, wie leicht ihr die Worte über die Lippen kamen, schlichte und stolze Worte.

»Wie können sie es wagen, mir das Recht auf Unterricht zu verweigern?«, hat sie gesagt und in die Kameras gesehen.

Sie hat sich vorgestellt, wie die Menschen in Pakistan vor dem Fernseher sitzen, und hat versucht, zu jedem von ihnen zu sprechen, auf Urdu, damit alle sie verstehen können.

Und zu den Taliban, die, wie sie sicher war, ebenfalls zuhören würden, hat sie gesagt: »Ihr könnt vielleicht die Schulen schließen, aber ihr könnt mich nicht daran hindern zu lernen.«

Doch diesmal ist es anders: Diese Kamera begleitet sie sogar ins Bad! Wen soll denn das interessieren, wie sie sich die Zähne putzt?

»Sei ganz natürlich, Malala«, sagt Jawad zu ihr, der im Spiegel über dem Waschbecken zu sehen ist. »Guck einfach gar nicht ins Objektiv.«

Als wäre das so einfach.

Ihr Vater hingegen scheint ganz in seinem Element, als er im Schneidersitz auf dem Teppich mit Jawad spricht.

»Ich bin ein Idealist, oder vielleicht bin ich auch verrückt, aber wenn meine Freunde mich fragen, warum ich nicht aus Swat weggehen möchte, dann antworte ich, dass dieses Tal mir so viel gegeben hat und dass ich es jetzt, da die Zeiten schwierig sind, nicht verlassen kann. Was wäre ich für ein Freund, wenn ich mich jetzt davonmachte? Es ist meine Pflicht, den Menschen aus dieser Situation herauszuhelfen. Und wenn ich dabei sterben sollte ... was für einen besseren Grund gäbe es zum Sterben?«

Malala kauert sich neben ihn. Ihre Mutter hat sich verzogen, wie immer, wenn fremde Männer im Haus sind. Sie dagegen, die noch ein Kind ist, kann sich frei zwischen der Welt der Frauen und jener der Männer bewegen. Sie weiß gut, dass sie größer wird, dass auch sie eine Frau sein wird.

»Heute ist dein letzter Schultag. Was empfindest du dabei?« Jawads Frage, begleitet vom Blick der Kamera, holt sie wieder in die Gegenwart zurück, in diesen 14. Januar.

»Ich habe Angst. Ich will etwas lernen, studieren, ich möchte Ärztin werden.«

Ihre Augen füllen sich mit Tränen, sie senkt den Kopf und bedeckt ihr Gesicht mit den Händen.

Ihr Vater, der an ihrer Seite sitzt, sagt sanft zu ihr: »Beruhige dich, entspann dich.« Er ermutigt sie zum Weiterreden.

»Ich möchte Ärztin werden, das ist mein persönlicher Traum. Mein Vater meint, ich soll lieber Politikerin werden. Aber ich mag Politik nicht.«

»Ich sehe einfach ein großes Potenzial in meiner Tochter«, unterbricht er sie mit seiner feierlichsten Stimme. »Sie kann noch mehr sein als Ärztin. Sie kann dazu beitragen, eine Gesellschaft aufzubauen, in der eine Schülerin problemlos Medizin studieren kann.«

Ja, ihr Vater hegt andere Hoffnungen als sie. Aber sie lächelt, denn seine Worte und der Stolz in seinem Blick machen, dass sie sich stärker fühlt.

Sie hat einen der schwierigsten Tage ihres Lebens vor sich. Mit der Zukunft wird sie sich später beschäftigen.

DER LETZTE TAG

Das Militär hat angeboten, Soldaten vor der Schule zu postieren, aber Malalas Vater hat es abgelehnt. Wenn die Taliban die Schule mit Gewalt schließen wollen, wird er sie nicht mit Gewalt offen halten.

»Wir liegen in Gottes Hand«, sagt er immer.

Als Malala, gefolgt von Jawad und dem Kameramann, durch das schwarze Eisentor tritt, hört sie bereits ihre Schulkameradinnen im Hof die Nationalhymne singen, wie jeden Tag bei der Morgenversammlung um acht.

Gesegnet seist du, heilige Erde,
Glück sei mit dir, du üppiges Land
Du Inbegriff von Tun und Werden
O Erde Pakistans!

Sie hält nach Laila Ausschau. Es ist nicht schwer,

sie zu finden, schließlich sind kaum zwanzig Mädchen hier versammelt.

Nach dem Ende des Lieds verkündet die Schulleiterin offiziell den Beginn der Winterferien. In dieser Jahreszeit sind immer ein paar Wochen Pause, bevor die Prüfungen anstehen. Doch diesmal ist es anders.

Die Ansprache der Schulleiterin wird immer wieder von Detonationen übertönt, die offenbar nicht weit entfernt stattfinden.

Die jüngeren Mädchen wirken verstört, aber auch Lailas Miene drückt Unsicherheit aus: Madam Aghala hat vom Beginn der Ferien gesprochen, aber sie hat nicht gesagt, wann sie enden.

Das kann kein Zufall sein.

Soll es also wahr sein?, denkt Malala. Ist das unser letzter Schultag? Das letzte Mal, an dem wir in diesem Gebäude zusammenkommen, das letzte Mal, dass wir in den Bänken sitzen, wo wir unsere Freundschaften geschlossen haben?

Noch ganz außer Atem gesellt sich Fatima zu ihnen. »Meine Eltern und meine Brüder wollten mich nicht aus dem Haus lassen«, flüstert sie Malala ins Ohr. »Aber nachdem sie alle weg waren, bin ich heimlich hierhergerannt. Sie möchten wegziehen von hier«, fährt sie fort. »Sie glauben nicht, dass die Schule je wieder öffnet.«

Die beiden Journalisten folgen den Mädchen die Treppe hinauf, sie passieren den Raum der 5a und gehen mit ins Klassenzimmer der 7a.

In der Pause dann kommt Jawad zu ihnen in den Hof. Er befragt die Mädchen zu ihren Gefühlen und Gedanken.

Fatima, die am Vortag eine Ansprache an die Klasse gehalten hat, geht schnell ihr Heft holen, um sie den Journalisten noch einmal vorzulesen.

Heute trägt sie einen *Kamiz Partug*, also eine längere Tunika mit Hosen. Die Goldverzierungen darauf lassen sie älter erscheinen, als sie eigentlich ist, und als sie ihr Gesicht in einen schwarzen Schleier hüllt – »zur Sicherheit«, wie Jawad empfiehlt –, ist sie nicht wiederzuerkennen.

Weitere sieben Schülerinnen stellen sich wie ein kleines Bataillon hinter ihr auf, während Fatima vorliest und die Kamera dazu filmt.

»Verehrte Schulleiterin, der Titel meiner Rede lautet: ›Die Situation in Swat‹. Das Tal des Swat ist das Paradies auf Erden, es befindet sich im Nordwesten Pakistans. Das Tal des Swat ist das Land der Wasserfälle, der üppig grünen Hügel und anderer kostbarer Gaben der Natur. Aber, meine lieben Freunde, in den letzten Jahren ist Swat zu einem Zentrum militanter pakistanischer Islamisten geworden. Heute brennt dieses idyllische und friedliche Gebiet lichterloh.«

An diesem Punkt spricht Fatima lauter weiter, wie um aufkommende Tränen zu verdrängen.

»Warum wurde der Frieden in diesem Tal zerstört? Warum werden unschuldige Menschen zu Opfern? Warum machen sie unsere Zukunft kaputt? Die Schulen sind keine Orte der Bildung mehr, sondern der Angst und Gewalt. Wer löst unsere Probleme? Wer wird unserem Tal den Frieden zurückgeben? Ich glaube, niemand. Niemand wird es tun. Unsere Träume sind zerstört, und lasst es mich sagen, wir sind am Ende.«

Unter den Zuhörern im Hof, zwischen den türkisfarbenen Mauern, die von einem Eisengeländer überragt werden, befindet sich auch ein kleiner Kindergartenjunge. Es ist nicht klar, was er hier so alleine macht, aber niemand fragt ihn. An einem Tag wie diesem scheint jede Logik außer Kraft.

Oberhalb des Geländers sieht man in der Ferne nur die Berge. Malala muss daran denken, wie sie selbst noch so klein war und die älteren Mädchen neugierig während des Unterrichts beobachtet hat.

»Tal des Swat!«, ruft sie aus einem plötzlichen Impuls. Und sogleich antworten ihre Mitschülerinnen im Chor: »*Zindabad!*«

»Tal des Swat!«, wiederholt Malala. Und wieder folgen ihr die anderen einstimmig mit: »Zindabad!« – was »Es lebe ewig!« bedeutet. Es klingt wie ein feierlicher Schwur, den sie einander leisten.

Die Schulglocke verkündet das Ende der Pause. Es ist keine richtige Schulglocke, sondern eigentlich ein Lehrer, der mit einem Hämmerchen gegen eine im Hof aufgehängte Metallscheibe schlägt.

Heute ertönt sie später als gewöhnlich. Madam Aghala hat sie alle länger spielen lassen. Vielleicht ist das ihr Geschenk am letzten Schultag?

Bevor sie sich auf den Heimweg machen, umarmen die Mädchen sich inniger denn je. Und trotz der traurigen Stimmung lachen sie – teils weil sie wegen der auf sie gerichteten Fernsehkamera aufgeregt sind, teils um das Gefühl von Einsamkeit zu vertreiben, das, wie sie wissen, auf diesen Moment folgen wird.

Während Malala Fatima an sich drückt, gibt sie ihr ein feierliches Versprechen: »Vielleicht wird es dauern, aber eines Tages wird unsere Schule wieder öffnen.«

Als sie durch das Tor geht und es hinter sich zumacht, ruft sie laut: »Auf Wiedersehen, Klasse!«

Doch sobald die Fernsehkamera aufhört, sie zu filmen, dreht sie sich noch einmal um und betrachtet das Gebäude, das bis heute ihr zweites Zuhause war.

Und sie hat das Gefühl, es könnte wirklich das letzte Mal gewesen sein.

LANGEWEILE

Hätte ihr vor einem Jahr jemand gesagt, dass Ferien zu etwas Lästigem, ja Unerträglichem werden können, Malala hätte es nie geglaubt. Doch jetzt langweilt sie sich.

Alle Tage gleichen einander. Sie beginnen und enden mit langen Nächten voller Explosionen, die sie immer wieder aus dem Schlaf reißen.

Morgens darf sie bis zehn schlafen, was sie auch tut, seit die Schule geschlossen ist – aber was hat sie schon davon, wenn sie dann den ganzen Tag zu Hause herumhocken muss?

Am spannendsten ist noch das Murmelspielen mit ihren Cousins im Hof – allerdings auch nicht auf Dauer.

Ihre Lieblingssoap *Eines Tages kommt mein Prinz* ist mittendrin abgebrochen worden. Die Taliban haben den Satellitenempfang ausgerechnet in dem Moment gestört, als Rani und Yuni nach so vielen Verwicklungen, Missverständnissen und unzähligen liebeskranken Blicken endlich zueinandergefunden haben und heiraten wollten. Die Heldin hatte ihn bereits ihrer Mutter und Großmutter in ihrem Dorf vorgestellt. Aber im Palast hat immer noch die Stiefmutter des Prinzen ihre Intrigen gegen ihn gesponnen ...

Vielleicht wird Malala nie erfahren, wie es ausgeht.

Nachmittags kommen hin und wieder Lehrer vorbei, um ihr ein wenig Privatunterricht zu geben, damit sie mit dem Stoff nicht zurückbleibt.

Manchmal spielt sie ein bisschen am Computer, aber es macht ihr keinen richtigen Spaß mehr.

Sie könnte ein neues Buch anfangen. Sie hat gerade *Der Alchimist* von Paulo Coelho fertig gelesen und davon einen Satz zurückbehalten, den der alte König von Salem sagt: »Wenn du etwas ganz fest willst, dann wird das gesamte Universum dazu beitragen, dass du es auch erreichst.«

In die Schule zu gehen – davon ist jedenfalls keine Rede.

Innerhalb von fünf Tagen haben die Taliban fünf Schulen dem Erdboden gleichgemacht, eine davon ganz in ihrer Nähe.

»Wir können keine Risiken eingehen«, sagt ihr Vater. »Du wirst dann wieder zur Schule gehen, wenn die Taliban es über Radioerlass allen Mädchen erlauben.« Selbst er, der bis zum Schluss gehofft hat, dass Fazlullah seine Meinung noch ändert, neigt lieber zur Vorsicht.

Ihre Mutter versucht, ein anderes Thema anzuschneiden. »Mir gefällt dein Deckname, Gul Makai.«

Ihr Vater nickt. »Weißt du, dass Madam Aghala mir vor ein paar Tagen einen Ausdruck von deinem Blog-Tagebuch mitgebracht hat? Sie hat gemeint: ›Dieses Mädchen macht eine tolle Sache.‹ Am liebsten hätte ich ihr gesagt, dass du es bist, aber das konnte ich nicht. Ich habe einfach nur gelächelt.«

»Wir können sie ja von jetzt an Gul Makai nennen«, schlägt ihre Mutter vor. Ihr hat Malalas trauriger Name nie gefallen.

Gul Makai bedeutet »Kornblume«, und es ist auch der Name einer Heldin in einer alten pakistanischen Liebesgeschichte: Gul Makai und Musa Khan. Es ist die Legende von einem Mädchen und einem Jungen, die sich ineinander verlieben, aber ihre Volksstämme lassen ihre Verbindung nicht zu, so ähnlich wie bei Romeo und Julia. Ein Krieg bricht darüber aus. Gul Makai lässt sich jedoch nicht beirren: Unverzagt sucht sie die Stammesältesten auf und überzeugt sie anhand von Koranversen davon, wie sinnlos dieser Krieg ist. Darauf ergreifen die Ältesten die Initiative und drängen die Stämme dazu, den Frieden wiederherzustellen. Und Gul Makai und Musa Khan lebten glücklich und zufrieden bis an ihr Lebensende.

Es ist nur ein Gedankenspiel. Natürlich werden ihre Eltern niemals Malalas Namen ändern – Gul Makais Identität muss geheim bleiben. Und als Laila zu Besuch kommt, spricht auch niemand mehr darüber. Die beiden Freundinnen gehen sofort in Malalas Zimmer, wo die blau-weiße Uniform an einem Haken hängt und die Schultasche an der Wand lehnt. In einem Regal neben dem Computer sind die Preise ausgestellt, die Malala in der Schule gewonnen hat.

Die Freundinnen setzen sich auf die Plastikstühle und beugen sich über den kleinen Tisch, sie öffnen ihre Bücher und versuchen, sich auf die Kapitel zu konzentrieren, die sie über die Ferien lernen sollen. Aber wie können sie so tun, als sei alles normal?

»Was glaubst du, lassen die Taliban uns die Februarprüfungen machen?«, fragt Laila.

»Ich weiß nicht«, antwortet Malala.

In der Schule gibt es ein Anschlagbrett, auf dem jedes Jahr der Name der Schülerin steht, die bei den Prüfungen am besten abgeschnitten hat, und sie ahnt, dass es diesmal leer bleiben wird.

»In den letzten Tagen haben sie schon wieder fünf Schulen zerstört. Ich kann das einfach nicht verstehen!«, platzt sie hervor. »Sie waren doch sowieso geschlossen. Niemand hat doch nach dem abgelaufenen Ultimatum noch die Schule besucht!«

»Ich glaube, es ist eine Racheaktion«, meint Laila. »Ich habe gehört, dass die Armee den Onkel von Maulana Shah Dauran getötet hat. Die Taliban machen das immer so: Jedes Mal, wenn sie eine Niederlage einstecken müssen, rächen sie sich an unseren Schulen. Und die Soldaten? Tun nichts. Die hocken oben in den Hügeln in ihren Baracken, schlachten Schafe und schlagen sich den Wams voll.«

Da ihr Vater Bäcker ist und in seinem Laden viele Menschen vorbeikommen, schnappt Laila alles auf, was die Erwachsenen sich über die Taliban erzählen. Aber manchmal sind die Gerüchte auch nicht wahr.

Vor ein paar Tagen zum Beispiel war man davon überzeugt, Maulana Shah Dauran, die rechte Hand Fazlullahs, sei tot. Dabei ist er quicklebendig.

Tatsächlich kann man ihn auch weiterhin im Radio hören.

Er verlangt von den Frauen, im Haus zu bleiben,

und verbietet ihnen, den Markt zu besuchen. Es ist ziemlich absurd, wenn man bedenkt, dass er selbst einen Marktstand im Basar besaß, bevor er Taliban wurde.

Er droht damit, dass alle Schulen, die dem Militär als Stützpunkt dienen – ob Mädchen- oder Jungenschulen –, angegriffen würden.

Er kündigt die Auspeitschung dreier Diebe an und lädt alle Bürger ein, dem »Schauspiel« beizuwohnen.

»Aber warum schützen uns die Soldaten nicht?«, fragt Malala. »Warum kommen sie nicht und verhaften die Taliban? Bei einer öffentlichen Hinrichtung zum Beispiel ... Sie wissen doch, dass man sie dort finden kann!«

Es erscheint so logisch wie die Matheaufgaben, die sie und Laila über die Ferien zu lösen haben. Doch das Verhalten der Erwachsenen scheint anderen Gesetzmäßigkeiten zu folgen und ist wirklich nicht zu verstehen.

UNTERWEGS

Das einzig Positive an dem Krieg im Swat-Tal ist die Tatsache, das ihr Vater jetzt häufiger als sonst mit der Familie Reisen unternimmt. Sie fahren Verwandte und Freunde besuchen. So hoffen sie, ein wenig Erholung zu finden, während die Stimmung im Tal immer drückender wird.

Bald werden sie endlich auch mal nach Islamabad reisen, in die Hauptstadt. Ihr Vater hat es versprochen und Malala kann es kaum erwarten.

Sie hat sich schon immer gewünscht zu reisen – sie weiß so wenig von der Welt da draußen, jenseits der Berge und der Täler Nordpakistans. Sie hat zwar eine ganze Menge aus Büchern gelernt, aber sie möchte es auch mit eigenen Augen sehen.

Jetzt allerdings, so kurz vor der Abreise, macht sie sich doch Sorgen. Um aus dem Tal zu gelangen, muss man die Kontrollpunkte der Taliban passieren, die mit der Kalaschnikow im Anschlag die Reisenden anhalten und durchsuchen.

Auf der Autofahrt sucht sie mit ihren Blicken die Landschaft ab, ob da nicht irgendwo Posten der Milizionäre zu sehen sind. Als tatsächlich eine Straßensperre auftaucht, bemerkt sie gleich, dass die Männer nicht wie erwartet lange Bärte und Turbane tragen, stattdessen grüne Uniformen. Es sind Soldaten der pakistanischen Armee.

Sie fordern ihren Vater auf auszusteigen.

Er soll den Kofferraum öffnen.

Auf der Rückbank sitzend, versucht Malala, ruhig zu bleiben.

Erst als das Auto das Tal hinter sich lässt, und damit auch alle Gewehre und das Willkommensschild »Freu dich, du bist in Swat«, schließt sie die Augen und entspannt sich.

In Peschawar machen sie auf einen Tee bei Verwandten halt, bevor sie anschließend in Richtung Bannu weiterfahren wollen.

Malala sitzt auf einem *Charpai*, einem aus Seilen geknüpften Bett, und schaut nach draußen, in den Garten, der von grünen Sträuchern und kahlen Kakibäumen umgeben ist. Ihr Bruder Atal spielt dort. Irgendwann geht Malalas Vater zu ihm hin und fragt neugierig:

»Was spielst du Schönes?«

»Ich hebe ein Grab aus«, antwortet Atal, als sei es das Selbstverständlichste von der Welt.

Sein Vater betrachtet ihn schweigend.

Für die Fahrt nach Bannu nehmen Malala und ihre Familie vom Bahnhof aus einen Bus. Er sieht uralt aus und es ist ein Wunder, dass er überhaupt fährt. Der Busfahrer drückt ständig auf die Hupe, trotzdem schläft Malalas zehnjähriger Bruder Khushal tief und fest, seinen Kopf an die Schulter der Mutter gelehnt.

Der hat's gut, der würde auch im Stehen schlafen, denkt Malala gerade, als lautes Getöse ihren Bruder hochfahren lässt.

»Was ist das, eine Bombe?«, fragt Khushal erschrocken.

Aber es war nur ein Schlagloch in der Straße. Als der Busreifen hineingeraten ist, hat der Fahrer gleichzeitig laut gehupt.

In Bannu wartet ein Freund des Vaters am Bahnhof auf sie.

Gemeinsam besuchen sie den Markt, anschließend wollen sie in den Stadtpark gehen. Aber Malala kann sich nicht richtig auf die Stoffe und die anderen dargebotenen Waren konzentrieren. Was ihre Aufmerksamkeit ablenkt, sind die Frauen: Es sind viele unterwegs und alle sind sie von Kopf bis Fuß in blaue oder weiße Burkas gehüllt. Auch ihre Mutter hat sich für den Spaziergang die Burka angezogen, während Malala sich geweigert hat.

»Ich kann das nicht. Oder wollt ihr, dass ich auf jemanden drauffalle?«

In Swat ist einmal eine Frau in Burka gestolpert und hingefallen. Als ein Unbekannter ihr die Hand reichen wollte, um ihr aufzuhelfen, hat sie es abgelehnt: »Nein, Bruder, das käme Maulana Fazlullah gerade recht.« Denn hätte sie sich von ihm helfen lassen, wären sie womöglich beide unter der Peitsche der Taliban gelandet.

Als sie später wieder von Bannu nach Peschawar fahren, ruft Laila sie auf dem Handy an.

Es ist der 2. Februar.

Heute hätte die Schule nach den Ferien wieder öffnen müssen. Zumindest galt das, als die Taliban ihnen noch nicht ihre Regeln aufgezwungen hatten.

»Hier in Swat werden die Kämpfe immer schlimmer. Und wie ist es bei dir? Kommst du zurück?«, fragt Laila.

»Ja«, sagt Malala, »es ist nur eine kurze Reise. Wir kommen ganz bald zurück!«

»Mein Vater hat erzählt, dass allein heute siebenunddreißig Menschen bei den Bombardierungen gestorben sind. Siebenunddreißig. Vielleicht ... magst du ja gar nicht mehr zurückkommen.«

Es ist schon später Abend, als sie in Peschawar ankommen. Sie fahren unter den dürren, kahlen Ästen der Bäume dahin und erreichen müde das Haus ihrer Verwandten.

Malala setzt sich vor den Fernseher. In den Nachrichten geht es gerade um das Swat-Tal.

Die Bilder berühren sie mehr als die Worte des Berichts.

Menschen, die zu Fuß die Stadt verlassen, mit ihren wenigen Habseligkeiten in Tüten und Reisetaschen.

Ein roter Autobus mit der Aufschrift *Allah*, der so überbordend voll ist, dass ein paar Leute aufs Dach geklettert sind, nur um fortzukommen.

Dann Laster, Lieferwagen, Traktoren, voll beladen mit Familien auf der Flucht. Einer hat sogar eine Kuh hintendrauf.

Ihr Vater setzt sich neben sie. Er hat einen Wollschal über den Schultern und ein Buch auf dem Schoß.

Menschen verlassen nicht aus freien Stücken ihr Zuhause, denkt Malala. Nur Armut oder Liebe treibt sie zu so hastiger Flucht.

Die Szenen sind zu traurig. Sie wechselt den Kanal.

»Wir werden den Mord an Benazir Bhutto rächen«, sagt eine Frau auf einem anderen Sender.

Benazir Bhutto wurde als erste Frau in Pakistan Regierungschefin – das war 1988, neun Jahre vor Malalas Geburt.

Benazirs Vater war zuvor Premierminister des Landes. Während seine Tochter im Ausland studierte, wurde er verhaftet und gehängt. Benazir trat in seine Fußstapfen, ging in die Politik und wurde ihrerseits Premierministerin.

Später warf man ihr Korruption vor. Sie beharrte auf ihrer Unschuld und verließ Pakistan. Im Jahr 2007 kehrte sie zurück. Auf einer Wahlkampfveranstaltung, wo sie vom Publikum bejubelt wurde, gab es ein Sprengstoffattentat und gleichzeitig wurde auf sie geschossen. Benazir Bhutto kam dabei ums Leben.

Die pakistanische Regierung machte die Taliban verantwortlich, bekam aber den Vorwurf zu hören, Benazir nicht ausreichend geschützt zu haben.

Geschichten von Verschwörungen und Gewalt – das Land ist voll davon. Malala aber denkt immer noch an ihr Tal.

Inzwischen gehen alle fort, nicht mehr nur die Reichen, sondern auch die Armen, die ihren Kindern nicht einmal Schuhe kaufen können.

Wie Frau Bibi, die einmal die Woche zum Wäschewaschen zu ihnen ins Haus kam. Sie hat beschlossen, Mingora zu verlassen und mit ihrer Familie in das Dorf zurückzukehren, aus dem sie stammt. »Ich habe zu viel Schreckliches hier erlebt. Ich kann keine Schönheit mehr im Swat-Tal erkennen.«

Ihr Vater hält sein Versprechen – am nächsten Tag besuchen sie die Hauptstadt.

Malala ist beeindruckt von all der Pracht: die in Reih und Glied geordneten Häuser und die breiten Straßen, die imposanten Denkmäler und die jungen Frauen auf dem Weg zur Arbeit ... Und doch fehlt hier etwas – die Schönheit von Islamabad ist eine künstliche, keine natürliche wie die von Swat.

Sie besuchen das Museum von Lok Virsa: Statuen, Vasen, traditionelles Kunsthandwerk. In Swat gibt es ein ähnliches Museum, aber wer weiß, ob es noch steht, nach all den heftigen Gefechten.

Am Ausgang kaufen sie bei einem alten Händler

Popcorn. Ihr Vater fragt ihn, ob er aus Islamabad sei.

»Aus Islamabad?«, platzt der Mann mit paschtunischem Akzent heraus. »Glauben Sie, ein Paschtune könnte sich in dieser Stadt je zu Hause fühlen? Ich stamme aus Mohmand. Aber da oben wird gekämpft, deshalb musste ich meine Heimat verlassen und hierherziehen.«

Malala stellt fest, dass seine Worte ihren Eltern Tränen in die Augen treiben.

Etwas fehlt hier, und es ist nicht nur die Natur.

Islamabad ist nicht Swat. Es ist nicht ihre Heimat.

Wollte ich eigentlich von zu Hause weg, um die Welt zu entdecken, oder wollte ich einfach nur fliehen?, fragt sie sich. Während sie nach der ehrlichsten Antwort auf diese Frage sucht, wird ihr bewusst, wie sehr ihr die Schönheit ihrer Heimat fehlt, und unvermittelt sagt sie: »Papa, von mir aus können wir jetzt zurückfahren.«

SCHÖNES ZUHAUSE

Armee, Taliban, Raketen, Geschützfeuer, Polizei, Hubschrauber, Tote, Verletzte: Dies sind, so scheint es, die einzigen Begriffe in aller Mund. Vielleicht hat ein allgemeiner Gedächtnisverlust all die anderen Wörter ausgelöscht.

Die Straßen liegen immer verlassener da, Häuser sind von Bombenangriffen verwüstet, die Geschäfte schließen immer früher. In Malalas Haus wurde sogar eingebrochen, während sie verreist waren.

»Es ist meine Schuld«, sagt ihre Mutter. »Sie haben die Leiter benutzt, die ich für Papa vor dem Fenster aufgestellt hatte. Früher wäre so etwas in Mingora nie passiert. Gott sei Dank waren weder Geld noch Schmuck im Haus! Sie haben nur den Fernseher mitgenommen.«

Das ist kein Drama. Das Fernsehen bietet schon lange keine Ablenkung mehr – es bringt nur schlechte Nachrichten. Und doch war es ein Fenster zur Welt jenseits des Tals. Jetzt bleibt ihnen nur noch Maulana-Radio.

Die Bombardements und die Anschläge werden nicht weniger, sie nehmen eher noch zu. Eines Tages fordert sogar Fazlullah mit tränenerstickter Stimme ein Ende der Militäroperationen und ruft die geflüchteten Menschen dazu auf, wieder in ihre Häuser zurückzukehren und das Swat-Tal nicht zu verlassen. Ob das ehrlich gemeint ist? Will er wirklich mit der Regierung über den Frieden verhandeln?

Und wenn nicht – wie viel können sie und ihre Familie dann noch ertragen?

»Mama, warum sprengen sich die Selbstmordattentäter vor allem an Freitagen in die Luft?«, fragt Malala.

»Weil es der heilige Tag des Islam ist. Sie glauben, wenn sie es freitags tun, wird Gott noch stolzer sein auf sie.«

Maulana Fazlullah ruft seine Anhänger im Namen des Islam zum Dschihad auf, zum heiligen Krieg gegen die Regierung und die pakistanische Armee, und er bildet auch Truppen von »Märtyrern« aus. Ihr Religionslehrer hat Malala jedoch erklärt, dass dies nicht der wahre Islam ist.

Heute Abend hat ihre Mutter ein leckeres Essen zubereitet: gegrillten Kebab mit Raita-Soße, die aus Joghurt, fein geschnittenen Gurken, Zwiebeln, Tomaten und einer Prise Kreuzkümmel gemacht wird. Doch in der Runde fehlt spürbar der Vater, der jetzt oft außer Haus schläft, um die Familie nicht zu gefährden.

Die Lage war noch nie so angespannt: Die Regierung versucht, eine Einigung mit den Taliban zu erzielen, um den Frieden in Swat wiederherzustellen.

»Wenn ihr beiden morgen wieder zur Schule geht, müsst ihr mir alles erzählen, ja?«, sagt Malala zu ihren Brüdern.

»Aber ich will gar nicht hin!«, ruft Khushal und verzieht die Miene. »Ich hab keine Hausaufgaben gemacht, und bei dem Pech, das ich immer habe, werde ich garantiert abgefragt.«

»Ich will auch nicht zur Schule gehen!«, heult der kleine Atal los. »Ich will nicht entführt werden!«

»Keine Sorge ...«, unterbricht ihre Mutter, »... es kann gut sein, dass die Armee morgen eine Ausgangssperre verhängt.«

»Wirklich?«, fragt Khushal mit hoffnungsfrohem Blick. Und er macht einen Freudensprung.

Es ist so absurd: Malala wünscht sich nichts

mehr, als zur Schule gehen zu dürfen, während Khushal jubelt, sobald er nicht muss.

Nach den abendlichen Gebeten schlafen ihre Brüder schnell ein – nicht einmal das Dröhnen der Bombenexplosionen kann sie jetzt wecken.

Malala hingegen bleibt wach. Sie muss an Frau Bibi und ihren Satz denken: »Ich kann keine Schönheit mehr im Swat-Tal erkennen.«

Sie geht hinüber ins Zimmer der Eltern und legt sich neben ihre bereits schlafende Mutter. Ihr Geruch und ihre Körperwärme hüllen sie wohlig ein und sie fühlt sich geborgen wie ein kleiner Vogel im Nest.

Toorpekai, der Name ihrer Mutter, bedeutet »schwarzes Haar«, und sie stellt sich vor, wie die seidige Mähne sie, ihre Brüder und das ganze nachtdunkle Haus umfließt und umhüllt und sie vor Blut und Bomben schützt.

BRÜCHIGER FRIEDEN

»Feuer!«, schreit Khushal und lässt einen Spielzeughubschrauber über den Figuren der »Bösen« kreisen, die auf dem Teppich aufgestellt sind. Atal hält ihm gleichzeitig eine Papp-Pistole vor die Nase.

Malala unterbricht das Spiel der beiden. Sie will unbedingt ihren jüngsten Bruder über seinen ersten Schultag nach den Ferien ausfragen.

»Sechs«, zählt er an den Fingern ab. So viele Kinder seiner Altersgruppe sind in der Schule erschienen. Fünf Jungen, ein Mädchen.

Am Ende haben die Taliban nämlich den kleinen Grundschülerinnen erlaubt, zur Schule zu gehen. Das generelle Lernverbot für Mädchen und Frauen hat die Menschen im Tal so aufgebracht, dass die Taliban offenbar beschlossen haben, wenigstens einen kleinen Teil ihrer Forderungen wieder zurückzunehmen. Sie behaupten jetzt sogar, sie würden darüber nachdenken, ob auch größere Mädchen weiterlernen dürfen. Sie nehmen sich Zeit für die Entscheidung ...

Vor lauter Warterei macht meine Schule noch endgültig zu, denkt Malala.

Als hätte er ihre Gedanken erraten, berichtet ihr Vater, der gerade hereinkommt: »Heute waren siebzig von siebenhundert Schülern im Unterricht.«

»Hallo, Papa!« Die Brüder rennen ihm entgegen, um ihn zu umarmen.

»Meine Lausejungs«, murmelt er und wuschelt ihnen zärtlich durchs Haar.

Atal zerrt an seinem Hemd und verkündet: »Ich will eine Atombombe bauen.«

Vater und Tochter wechseln einen Blick wie zwei Erwachsene. Der Krieg ist in den Spielen der Kinder, und selbst in ihren Gebeten, inzwischen allgegenwärtig.

An einem Abend hat Malala Khushal flüstern hören:

»Lieber Gott, bringe Swat Frieden, und lass es nicht zu, dass die USA oder China uns je beherrschen.«

Die Tage vergehen und die Lage verschärft sich.

Eines Morgens kommt nach langen Regentagen die Sonne hinter den Bergen hervor. Es ist einer dieser Momente, in denen das Tal seine ganze Pracht enthüllt. Aber für die Menschen ändert es nichts.

Beim Frühstück verkündet ihre Mutter die neuesten Todeszahlen: »Ein Rikschafahrer und ein Nachtwärter, ermordet letzte Nacht.«

Sie addieren sich zu den tausendfünfhundert Menschen, die in den letzten zwei bis drei Jahren ermordet wurden. Keiner fragt mehr »Warum?«. Die Frage erscheint sinnlos.

Eines Sonntagmittags, als Freunde und Verwandte aus Mingora und Peschawar bei ihnen zum Essen sind, ertönt so lautes Gewehrfeuer, wie Malala es noch nicht erlebt hat.

Sie rennt um den Tisch und wirft sich ihrem Vater in die Arme. »Papa, Hilfe!«

Er versucht, sie zu beruhigen: »Hab keine Angst, Malala, sie schießen wegen des Friedens!«

»Aber es klingt wie das Ende der Welt!«

»Die Leute schießen mit Gewehren in die Luft, um ihre Freude auszudrücken. Die Regierung und die Milizionäre sind dabei, ein Abkommen zu unterzeichnen, es steht in der Zeitung.«

Tatsächlich wird es am Abend von den Taliban im Radio bestätigt, und so beginnen alle, es wirklich zu glauben.

Immer lauter ertönen die Schüsse.

Ihre Mutter und ihr Vater fangen vor Erleichterung an zu weinen. Auch Khushal und Atal haben nasse Augen.

Es ist das Signal, auf das ganz Swat so lange gewartet hat. Das Tal ist müde, es möchte einfach nur Normalität.

Am nächsten Tag ist der Markt voller Menschen, die Leute sind fröhlich und ihr Vater verteilt zusammen mit anderen Männern auf der Straße Süßigkeiten.

Sogar im Stau zu stecken erscheint schön, es hat so etwas »Normales« ...

Der Naturwissenschaftslehrer, der seit der Schließung der Schule zum Unterrichten ins Haus kommt, nimmt sich einen freien Tag, um ein Verlobungsfest zu besuchen.

»Auch die Hubschrauber werden jetzt endlich verschwinden«, verspricht ein Cousin. Ein paar Minuten lang blicken er und Malala ihnen nach, wie sie tief über die Stadt hinwegfliegen.

Das Handy klingelt. Es ist Fatima.

»Was meinst du – ob die Schule jetzt auch wieder aufmacht?«, fragt sie Malala. »Ich halte es nicht mehr aus, zu Hause herumzuhocken.«

»Sie macht ganz bestimmt wieder auf! Wir müssen nur abwarten.«

In den nächsten Tagen sieht es so aus, als würden ihre Gebete erhört. Im ganzen Tal zieht eine friedliche Ruhe ein. Ohne die nächtlichen Explosionen schläft es sich gut, auch wenn die Hubschrauber keineswegs verschwunden sind.

Dann, eines Abends, hören Malala und ihre Brüder aufgeregte Stimmen aus der Küche.

Ihrer Mutter geht es schlecht.

Ihr Vater hat ihr die Nachricht des Tages überbracht: Musa Khankhel ist tot.

Musa war Journalist. Sein Schreibstift hat niemanden verschont, weder die Taliban noch das Militär.

»Jemand muss doch die Wahrheit schreiben«, hat er immer gesagt.

Er ist einem Friedensmarsch der Taliban durch Mingora gefolgt. Sein Fernsehteam hat ihn dabei aus den Augen verloren. Ein paar Stunden später hat man ihn erschossen aufgefunden.

Ihre Mutter kommt tagelang nicht mehr aus dem Bett.

»Warum hast du es mir erzählt? Ich will das nicht hören!«, wirft sie ihrem Mann vor.

Vielleicht fürchtet sie, dass das nächste Opfer jemand noch Näherstehendes sein könnte.

Und ausgerechnet am Tag von Musas Ermordung

ist Malala im Fernsehen erschienen. Sie selbst hatte dem betreffenden Journalisten angeboten, von ihren Hoffnungen zu erzählen, bald wieder zur Schule zu gehen.

In einen weißen Saadar gehüllt, hat sie mit ruhiger Stimme gesagt: »Ich warte seit dem 15. Januar. Jetzt, nach dem Friedensabkommen, sehe ich keine Hindernisse mehr. Aber was auch immer kommt, sie können mich nicht aufhalten. Mir genügt ein Ort, wo ich mich hinsetzen kann, und ich werde weiterlernen.«

»Hast du keine Angst?«

»Ich habe vor niemandem Angst.«

Jetzt ist Musa tot, und mit seiner Ermordung ist die Hoffnung auf Frieden in unendliche Ferne gerückt.

Ihre Mutter bleibt im Bett, sie bereitet ihnen nicht einmal mehr das Frühstück zu. Ihr Vater kümmert sich darum, und ab und zu löst Malala ihn in der Küche ab. Sie hilft auch bei ihren Brüdern mit, vor allem bei dem Kleineren, den man bei den Hausaufgaben unterstützen muss und beim Anziehen vor der Schule.

»Von jetzt an reden wir in diesem Haus nicht mehr über Krieg«, befiehlt Malala den Brüdern. »Es werden hier keine Gräber mehr ausgehoben und nicht mehr mit Hubschraubern und Pistolen gespielt, wir reden nicht mehr von Atombomben, nur noch vom Frieden.«

Es ist das Einzige, was ihr einfällt, um ihre Mutter zu schützen – ihr war vorher nicht klar, wie verletzlich sie ist. Aber wer ist das nicht, hier in Mingora?

RÜCKKEHR ZUR SCHULE

Februar 2009

Das schwarze Eisentor, das blau-rote Schild, die steile Treppe, die Holzstühle – und besonders ein Stuhl in der zweiten Reihe ganz rechts: ihrer.

Es lebe die Schule!

Malala hatte die Hoffnung schon fast aufgegeben. Aber dann, am 21. Februar, hat Maulana Fazlullah persönlich es im Radio verkündet: Mädchen dürfen bis zu den Prüfungen am 17. März zur Schule gehen, unter der Bedingung, dass sie die Burka tragen.

Maulana Fazlullah hat noch vieles andere gesagt: Er hat vom Opfer gesprochen, das die Taliban im Namen des Islam erbringen, und von der unausweichlichen Niederlage, die den Amerikanern in Afghanistan bevorsteht. Aber für Malala zählen vor allem die Worte: »Die Schule öffnet wieder.«

Bei der Morgenversammlung umarmen die Mädchen sich stürmisch. Ein paar tragen Schuluniform, andere ihre normalen Kleider. Nur zwölf der siebenundzwanzig Mitschülerinnen sind da. Die anderen befinden sich entweder noch weit vom Swat-Tal entfernt, wie Zakia, oder ihre Eltern sind zu besorgt, um sie aus dem Haus zu lassen.

Über den Hof fliegen Hubschrauber hinweg, die Schülerinnen winken nach oben und die Soldaten winken zurück. Aber es wirkt müde, wie sie die Arme heben.

Als die Schulleiterin erscheint, hören die Mädchen sofort mit ihrem Geschnatter auf.

»Bitte denkt daran, die Burka zu tragen«, ermahnt sie sie als Erstes. »Es ist die Bedingung der Taliban.«

Dann fragt sie: »Wer von euch hört Maulana-Radio?«

Es folgt ein allgemeines Gemurmel.

»Ich habe es früher gehört, jetzt nicht mehr«, antwortet ein Mädchen.

Laila meldet sich: »Ehrlich gesagt, ich tue es, um auf dem Laufenden zu sein, was weiter passiert.«

Fatima fährt dazwischen: »Ich glaube, erst wenn dieser Sender zerstört wird, werden wir in Swat wirklich Frieden haben.«

»Also, damit ihr Bescheid wisst: In dieser Lehranstalt wird kein Maulana-Radio gehört. Wir haben es aus dem Schulhaus verbannt.«

Maulana Fazlullah erlässt seine Anweisungen

gegen die Schulen? Nun, dann erlässt die Schulleiterin eben ihre Anweisungen gegen die Taliban. Malala muss lächeln. Madam Aghala ist achtundzwanzig Jahre alt, und auch wenn sie keine Mutter ist, fühlen sich alle ein bisschen wie ihre Töchter.

In den folgenden Tagen tauchen allmählich mehr Schülerinnen auf – in ihrer Klasse sind sie schließlich neunzehn.

Die Prüfungen nähern sich, und es gibt eine ganze Menge zu lernen. Auch zu Hause verbringt Malala viel Zeit über ihren Büchern.

Auf dem Basar sind immer mehr Menschen zu sehen, die Händler haben wieder Mut gefasst und halten ihre Geschäfte bis zu später Stunde geöffnet, allerdings achten sie darauf, die Läden zu den Gebetszeiten zu schließen.

Ihr Vater kauft zwei Hühner, und die beiden Brüder sind ständig hinter ihnen her und spielen begeistert mit ihnen.

Ganz allmählich erholt sich ihre Mutter von dem Schock.

Die Tage vergehen mit Lernen, Spielen, Einkaufen, und sie vermeiden es, so gut es geht, über die Armee und die Taliban zu sprechen.

Fast scheint es, als seien die früheren Zeiten wiedergekehrt.

Doch in diesen wechselhaften Märztagen, in denen der Winter noch einmal seine Krallen zeigt, bevor er dem Frühling den Vortritt lässt, wird alles wieder ungewiss.

»Vielleicht hält das Friedensabkommen nicht lange an«, munkeln die Leute.

»Womöglich war es nur eine Gefechtspause.«

Die Taliban-Milizionäre laufen weiterhin bewaffnet herum und entwenden Hilfslieferungen für Flüchtlinge.

Eines Tages hört Malala das Donnern von Geschützen. Die Taliban töten zwei Soldaten – hinterher behaupten sie, das Militär sei schuld, da es trotz des Waffenstillstands Patrouillen herumschicke.

»Erinnerst du dich an Anis?«, fragt Fatima sie. »Du weißt doch, mein Cousin, der mit uns im Kindergarten war? Er arbeitet jetzt für die Taliban. Mein Bruder hat ihn mit ihnen gesehen und konnte seinen Augen kaum trauen. Vormittags arbeitet er als Angestellter in der Fabrik und abends, mit seinen Reeboks an den Füßen, hängt er sich ein Gewehr um und gesellt sich zu Fazlullah und seinen Anhängern. Er durchsucht Autos.«

»Aber warum macht er das?«, fragt Malala.

»Mein Bruder, seine Familie, alle fragen ihn

das ... und weißt du, was er antwortet? Er sei kein Taliban, er will nur mehr Geld verdienen.«

»Das kann ich nicht glauben ...«

»Wenn ich mir vorstelle, dass ich als kleines Mädchen gedacht habe, ich würde ihn mal heiraten ...«, seufzt Fatima.

Eines Nachmittags gehen Malala und ihre Mutter in Begleitung eines Cousins zum Cheena-Basar, so wie früher.

Sie sind ein bisschen erschrocken: Bei näherem Hinsehen sind viele Geschäfte pleite oder versuchen, letzte Waren mit Sonderangeboten loszukriegen. Malala und ihre Mutter kaufen deshalb alles Mögliche ein, aber es ist ein komisches Gefühl, dass so wenige Frauen zu sehen sind, mit denen sie sich um die besten Angebote rangeln könnten. Malala, die von Kopf bis Fuß verhüllt ist, beschwert sich immer wieder. Sie ist es gewohnt, draußen auf der Straße einen Saadar zu tragen, der den Körper bedeckt, aber nicht das Gesicht.

»Mama, die Burka finde ich so blöd, man kann gar nicht richtig darin laufen!«

Als sie den Laden betreten, in dem sie immer ihre Stoffe kaufen, schaut der Besitzer sie einen Augenblick entsetzt an.

Dann lacht er los. »Einen Moment lang habe ich

euch für Selbstmordattentäter in Frauenkleidung gehalten!«

Weder der Händler noch sie und ihre Mutter hören etwas von der Explosion, aber am nächsten Tag berichten die Zeitungen darüber: Nicht weit vom Basar hat sich vor einem Kontrollposten des Militärs ein junger Mann in die Luft gesprengt.

Es war Anis.

Malala erfährt es von Fatima.

»Wir ziehen nach Rawalpindi«, berichtet die Freundin ihr in der Schule.

Die so temperamentvolle Fatima. Die streitlustige Fatima, mit der sie in Redewettbewerben konkurriert hat. Es ist schon die Fünfte, die weggeht aus der Gruppe ihrer liebsten Freundinnen.

»Aber Fatima ...«, entgegnet Malala. »Es gibt doch das Friedensabkommen und die Lage wird sich weiter bessern.«

»Da bin ich nicht mehr so sicher«, antwortet sie knapp.

Ihr Kummer ist zu groß. Anis, ihr Lieblingscousin, ist nicht mehr da.

Vielleicht ist Anis zu Beginn tatsächlich nur zum Geldverdienen zu den Taliban gegangen, wie er behauptet hat, aber dann muss ihn jemand überzeugt haben: Sie haben ihm ein paradiesisches

Jenseits versprochen und dafür hat er sich in die Luft gesprengt.

Früher einmal, als er noch jung war, hätte auch Malalas Vater fast ein ähnliches Ende genommen.

Sein Lehrer redete ihm damals zu, im Namen des Glaubens in den Kampf zu ziehen. So viele täten es, es heiße Dschihad, der Heilige Krieg. Malalas Vater quälte sich nachts fortwährend mit Albträumen. Er war sehr fromm – er betete fünfmal am Tag. Und er war nationalistisch gesinnt: Er glaubte an ein großes autonomes Gebiet für die Paschtunen. Doch letzlich begriff er, dass der Lehrer seine Ideale missbrauchte, um ihn einer Gehirnwäsche zu unterziehen.

Aus diesem Grund hat er sich entschieden, sein Leben dem Unterrichten zu widmen. Die Mädchen und Jungen von Swat sollen etwas lernen und sich weiterbilden.

Auch Anis war einer von diesen kleinen Jungen damals im Kindergarten, aber es hat nicht gereicht, um ihn zu retten.

Der Chemielehrer schreibt seine Erklärungen an die Tafel. *Die Oxidationszahl aller reinen Elemente ist Null ...*

Die Prüfungen verlaufen gut, vor allem die naturwissenschaftlichen Aufgaben. Es genügt, wenn man bei acht von zehn Fragen die richtige Antwort weiß. Malala weiß sie alle. Sie ist guter Stimmung, und als sie dann noch erfährt, dass Zakia wieder nach Mingora zurückgekehrt ist, ist sie im siebten Himmel.

»Ich konnte es gar nicht mehr erwarten, euch zu sehen!«, sagt die Freundin, die sie fest umarmt und sie mit ihrem blau-lila gestreiften Saadar umschlingt. »Aber es ist unglaublich, wie sich alles hier verändert hat. Früher bin ich nach der Schule allein zu meiner Großmutter oder zur Koranschule gegangen ... Jetzt finden meine Eltern es zu gefährlich.«

Es stimmt, nichts ist mehr wie früher, denkt Malala.

Umso wichtiger ist es, dass Zakia, sie und die anderen Mädchen fest zusammenhalten.

DAS EXIL

Mai – Juli 2009

Es ist Frühling. Die Blumen, kaum aufgeblüht, haben ihre Blütenblätter verloren. Im Mai ist es mit dem Frieden bereits vorbei.

»Wir haben keine andere Wahl ...«, sagt Malalas Vater, während er und die Mutter in Eile die Koffer packen.

»Aber wir sind unschuldig! Warum sollen wir da weggehen?«

»Keine Sorge, Malala, wir werden wieder zurückkommen. Aber jetzt musst du erst mal tapfer sein.«

Die Taliban haben ihren Einflussbereich auf Buner ausgeweitet, wo ihre Mutter einst Ohrringe und Armreife gekauft hat. Immer häufiger hat es Zusammenstöße zwischen Taliban und Soldaten gegeben, und nun hat die Armee eine neue Offensive angekündigt, um die Kontrolle über Swat zurückzugewinnen.

»Operation Rechter Weg« wird sie genannt. Die Einwohner müssen das Tal räumen.

Mehr als zwei Millionen Menschen verlassen ihre Häuser. Es bleibt ihnen nichts anderes übrig, wenn sie sich in Sicherheit bringen wollen. Und als wäre das noch nicht genug, ist Malalas Vater auch noch auf die schwarze Liste der Taliban geraten, nachdem er sie offen in der Presse kritisiert hat. Ein Führer der Taliban hat im Radio seinen Kopf gefordert.

Leb wohl, Mingora.

Diesmal träumt Malala nicht mehr sehnsüchtig von dem, was sie jenseits der Berge erwartet. Ihre Blicke verweilen bei dem, was sie verlässt: eine Geisterstadt.

Ihre Mutter, ihre Brüder und sie können im Haus einer Tante in Haripur unterkommen, nördlich von Islamabad. Ihr Vater hingegen wird sich sechs Stunden entfernt von ihnen in Peschawar niederlassen, wo er sich mit Sajid und dem Gründer einer anderen Mädchenschule von Swat ein Zimmer teilen wird.

Peschawar ist eine große Stadt, die Hauptstadt der Provinz. Dort können sie Demonstrationen organisieren und Interviews führen, damit das Swat-Tal im öffentlichen Bewusstsein bleibt. Auch der Dokumentarfilm von Jawad und dem amerikanischen Journalisten folgt diesem Zweck, deshalb filmen die beiden weiter das Alltagsleben der Familie, indem sie zwischen den zwei Städten hin- und herpendeln.

»Eine Mutter sorgt sich nicht um ihr Kind, solange es nicht weint«, wiederholt ihr Vater gerne. »Wenn man nicht weint, erreicht man nichts in einem Dritte-Welt-Land wie unserem.«

Jetzt, wo sie nicht mehr zusammenwohnen, vermisst Malala ihren Vater schrecklich. Ihr fehlen seine klugen Worte, seine Erzählungen. Hin und wieder kommt er sie in Haripur besuchen, aber meistens beschränkt sich der Kontakt auf kurze Telefonate.

Zu Beginn ihres Exils meint ihr Vater, dass schon bald wieder stabile Verhältnisse herrschen werden, dass die Militäroperation innerhalb von zwei, drei Tagen abgeschlossen sein wird.

Malala lässt sich von seinem Optimismus anstecken und sagt es gleich der Mutter weiter: »Papa meint, wir werden gewinnen und nach Swat zurückkehren! Mama, du wirst sehen, ich gehe zur Schule, schließe ein Studium ab, und eines Tages werde ich den Menschen in unserer Region helfen.«

Es vergehen ein Tag, zwei Tage, drei ...

Ihr Vater meint, die Militäroperation dauere noch eine Woche.

Und Malala überlegt sich, was sie gleich nach ihrer Rückkehr tun wird. Als Erstes, als Allererstes, gehe ich schnell in mein Zimmer und schaue nach, ob meine Bücher und mein Schulranzen noch da sind. Und dann gehe ich zum Schulhaus. Aber zuerst in mein Zimmer.

Eine Woche vergeht ...

Bei ihrer Tante gibt es ein Rebhuhn. Es wird in einem Holzkäfig im Hof gehalten. In Pakistan und Afghanistan werden Rebhühner manchmal als Nutztiere gehalten oder für Hahnenkämpfe aufgezogen. Aber wenn sie frei auf der Wiese herumlaufen oder fliegen dürfen, gibt es kaum ein Wesen, das sich anmutiger bewegt. So schreiben es die Dichter, und wenn man einem Mädchen sagt, es sei anmutig wie ein Rebhuhn, gilt das als großes Kompliment. Malala bringt dem Tier Wasser und muss dabei jedes Mal an die Hühner denken, die sie zu Hause im Hof zurückgelassen haben. Ob sie wohl noch leben oder ob jemand sie getötet hat? Wer weiß, ob überhaupt ihr Haus oder das Schulgebäude noch steht? Ganz in der Nähe liegt ein militärischer Stützpunkt, es ist möglich, dass die umstehenden Häuser getroffen werden. Vielleicht ist es auch schon passiert, vielleicht liegt dort nur noch ein Haufen Trümmer, Schutt und Hühnerfedern, und sie wissen es nur noch nicht.

Auch die zweite Woche vergeht, eine dritte und vierte ... Im Fernsehen verkündet die Regierung, Fazlullahs Madrasa sei zerstört worden. Ist man dadurch dem Frieden näher gerückt?

Von den großartigen Erfolgen der »Operation Rechter Weg« ist die Rede, aber Malala muss an die noch lebenden einundzwanzig Talibanführer denken. Sie glaubt nicht an Gewalt, aber sie weiß, dass diese Führer niemals aufgeben werden – sie kämpfen bis zum Sieg oder Tod.

Allen voran Fazlullah, der immer noch im Radio erklärt: »Mir geht es gut, auf mich ist kein Anschlag verübt worden! Setzt den Dschihad fort und hört nicht auf die Lügenpropaganda der Regierung und der Ungläubigen!«

Die Taliban nennen die Regierungssoldaten Ungläubige, die Soldaten nennen die Taliban Falschgläubige. Es kann ewig so weitergehen ...

Hier im Haus der Tante hört man weder Hubschrauber noch Bombeneinschläge. Doch die Stille ist ohrenbetäubend.

Malala langweilt sich und bereut es, dass sie ihre ganzen Bücher in Mingora gelassen hat. In ihrer rosa Kleidung geht sie nach draußen und sieht ihren Brüdern beim Schaukeln zu.

Manchmal spielt sie mit ihnen, manchmal setzt sie sich im Zimmer aufs Bett, mit den Füßen im Sonnenlicht und dem Kopf im Schatten, während hinter ihr der Ventilator surrt.

Sie fühlt sich entwurzelt, orientierungslos. Dann wieder, wenn sie Atal dabei zuschaut, wie er auf der Wiese Rad schlägt, denkt sie, dass es ihnen vergleichsweise gut geht – andere Menschen müssen sich in Flüchtlingslagern zusammendrängen.

Anfang Juli sind die Lager völlig überfüllt. Es geht das Gerücht, unter den Flüchtlingen würden sich auch Taliban verstecken, die das Ende der Militäroperationen abwarten, um anschließend zusammen mit den anderen Menschen gemütlich nach Swat zurückzukehren.

Wie kann ich meinem Volk nur helfen? Wie kann ich wirklich nützlich sein?, fragt sie sich, während sie dem Rebhuhn zu trinken gibt.

Es heißt, Rebhühner würden in der Nacht zum Mond hinaufschauen und seinen Lauf verfolgen. Manchmal entlässt man die Rebhühner auch in die Freiheit, um in Allahs Namen eine gute Tat zu vollbringen.

»Mama, ich weiß jetzt, was ich will!«, verkündet sie eines Tages. »Ich will in die Politik gehen, um unserem Land zu dienen. Es gibt einfach zu viele Probleme. Und ich möchte sie lösen, für Pakistan.«

»Malala«, sagt ihre Mutter sanft zu ihr. »Du weißt, du darfst mit deinem Leben anstellen, was du willst.«

An einem dieser ewig währenden Sommertage, als ihre Brüder und sie gerade im Hof Kricket spielen, ruft ihre Mutter sie ins Haus. Der Premierminister hat soeben die lang ersehnte Nachricht verkündet: Sie können nach Mingora zurückkehren!

Die Taliban sind aus den Städten des Swat-Tals vertrieben worden und haben sich in die Berge zerstreut. Für Malala ist es das schönste Geschenk.

Drei Tage später hat sie nämlich Geburtstag: An diesem Sonntag wird sie zwölf Jahre alt. Im Haus ihrer Tante wird ein Kuchen für sie gebacken.

Und ihr Vater? Er ist nicht da, er ruft auch nicht an. Und dabei hat sie ihn am Vortag noch selbst daran erinnert. Schließlich schickt sie ihm eine SMS, auf Englisch:

MEIN GEBURTSTAG WURDE GEFEIERT (VON DEN ANDEREN). SIE (NICHT DU) HABEN MICH SEHR GLÜCKLICH GEMACHT.

Als ihr Vater endlich anruft, um sich zu entschuldigen, nimmt sie ihm das Versprechen ab, dass er alle zum Eis einladen wird. Vanilleeis. Sie hat den Geschmack schon auf der Zunge. Den Geschmack von daheim. Und von Frieden.

WILLKOMMEN IN PAKISTAN

Reisetaschen, Kissen, Decken und ein großer Sack Getreide, den sie als Flüchtlinge von einer internationalen Organisation erhalten haben – ihr Vater lädt alles in den Laderaum des feuerroten Pick-ups. Dann nimmt er im Wagen Platz und gibt dabei acht, das lange Hemd seines *Kamiz Partug* nicht zu zerknittern.

Es geht los.

Sie durchqueren grüne Ebenen mit vereinzelten Bäumen.

Sie folgen Straßen, die steil an den Berghängen verlaufen, fahren durch aus dem Fels gehöhlte Tunnels.

Laster überholen sie oder kommen ihnen entgegen, Autos voll besetzt mit Passagieren.

In einem bestimmten Moment taucht hinter einer Kurve eine Schrift aus riesigen grünen Buchstaben auf: SWAT CONTINENTAL HOTEL.

Mit jeder Kurve, mit jeder Brise, die durch das Fenster hereinweht, spürt Malala, dass sie sich ihrer Heimat nähert.

Während der drei Monate ihres Exils sind Jawad und der amerikanische Journalist bei ihnen geblieben und auch jetzt begleiten sie die Familie. Sie filmen alles, denn es ist ein historischer Moment: die Rückkehr der Menschen ins Swat-Tal.

Sajid, der Lehrer, ist bereits in Mingora und berichtet von dort, sogar die Barbiere seien zurückgekehrt. Es dauere eine ganze Weile, bis sie ihre Kunden rasiert hätten, denn deren Bärte seien ziemlich lang geworden.

Da taucht der Fluss auf. Ruhig und seicht fließt er dahin, mit ein paar wenigen Schaumkrönchen.

Auch die Luft hier ist anders. Es ist die Luft ihres Tals, sie trägt den typischen Geruch der Reisfelder in sich.

Ihr Vater fängt an zu lachen.

Oder nein, er weint.

Oder beides zugleich.

Er kann nicht mehr an sich halten auf seinem Sitz. Er blinzelt und schluckt, völlig überwältigt von seinen Gefühlen.

»Wir haben gewonnen, die friedliebenden Menschen von Swat haben gewonnen!«, sagt er.

Malala verfolgt alles aufmerksam. Im Grunde ihres Herzens fürchtet sie jedoch, dass ihre Schwierigkeiten noch nicht vorüber sind.

Als sie in die Stadt hineinfahren, haben sie Mühe, Mingora wiederzuerkennen.

In einer gespenstischen Stille bahnt sich der Pick-up einen Weg zwischen den Trümmern beschossener Häuser, herabgefallenen Ladenschildern, Mülltonnen und Holzkisten, die noch als Barrikaden aufgebaut sind. Ein verlassener Jeep steht mitten auf der Fahrbahn.

Keine Menschenseele ist zu sehen.

Noch nie, nicht einmal um Mitternacht, ist Mingora so leer erschienen.

In einer lichtdurchfluteten Straße lehnt ein Mann mit weißem Bart an einem Mast. Sein Oberkörper ist zur Seite geneigt, die Kappe schräg auf seinen Kopf drapiert. Fast sieht es aus, als würde er schlafen, doch in dieser Position ist das eigentlich unmöglich. Er wacht auch nicht auf, als sie vorüberfahren.

Offenbar eine Art menschliche Vogelscheuche, die die Taliban abschrecken soll: Haltet euch fern, scheint sie zu sagen.

Die Milizionäre haben sich in die Berge geflüchtet – aber wirklich fern sind sie nicht.

Vor ihrem Haus angekommen, macht sich ihr Vater am Torschloss zu schaffen: Er dreht einmal den

Schlüssel, noch einmal, es erscheint ihr eine Ewigkeit, und ihre Brüder können vor Aufregung nicht ruhig stehen.

»Viele Häuser sind geplündert worden«, sagt ihr Vater. Wie immer hält er mit der Wahrheit nicht zurück – vielleicht möchte er seine Familie auf das Schlimmste vorbereiten.

Atal und Khushal folgen ihm gleich hinein.

»O meine Güte«, murmelt ihr Vater.

Malala muss einfach lächeln, als sie den Hof sieht, in dem die Pflanzen wild in alle Richtungen wuchern. »Es sieht aus wie ein Dschungel!«

»Ja, wie ein Dschungel«, wiederholt ihr Vater. »Aber schön sieht es aus, wunderschön!«

Ihre Brüder rennen umher und suchen unter herabgefallenen Holzbalken nach den Hühnern.

»Sind sie noch da?«, fragt der Vater.

»Nein, sie sind weg!«, schreit Atal. Aber er bleibt starr stehen, den Blick auf einen Winkel weiter hinten gerichtet.

Malala nähert sich langsam. In der Ecke liegt ein Häufchen Federn. Sie beugt sich hinunter. Braune und graue Federn, leicht und fluffig, ein kleiner Knochen guckt hervor.

»Die Hühner sind tot«, stellt sie fest.

Khushal fängt an zu schluchzen, während er dort in der Ecke steht.

Sie rennt ins Haus.

»Malala? Malala?«, ruft ihr Vater hinter ihr her.

Sie setzt sich aufs Bett und wendet sich ab – sie kann ihre Tränen nicht zurückhalten. Sie möchte alleine sein, möchte drauflosheulen wie ein Kind, wegen dieses unsinnigen Todes, der ihr einen Kummer bereitet, wie ihn Erwachsene niemals verstehen können. Doch die Journalisten kommen ins Zimmer.

»Malala?«, fragt ihr Vater wieder.

Sie flüchtet sich in ein anderes Zimmer, aber schon gleich ist die Kamera wieder auf sie gerichtet. Na toll, die Menschen überall auf der Welt werden dabei zuschauen, wie sie auf dem Bett ihrer Eltern auf der Decke mit den weißen Blüten sitzt und heult. Sie trocknet sich die Augen ab.

Dann geht sie hinüber, um nach ihren Büchern und Schulheften zu sehen. Sie blättert sie durch. Es ist alles noch da.

»Die Hühner sind tot, aber deine Bücher sind noch da«, bemerkt der amerikanische Journalist.

»Ja«, antwortet sie, »und ich denke, die Bücher sind wertvoller.«

Ihr Vater möchte nach dem Schulhaus sehen.

Khushal und Malala begleiten ihn. Es sind fünfzehn Minuten zu Fuß, so wie immer. Aber der Schlüssel passt nicht.

Ihr Vater ruft einen Jungen herbei und stemmt ihn über die Mauer, sodass er das Tor von innen öffnen kann.

»Irgendjemand hat hier gewohnt«, bemerkt der Vater, als er die Klassenzimmer inspiziert.

Viele der Zimmer sind leer geräumt worden, alle Stühle wurden in einem einzigen Raum übereinandergehäuft, vor der Wand mit der Landkarte von Pakistan.

Auf einem Stuhl sieht man den Abdruck einer Schuhsohle.

Auf dem Boden liegen Zigarettenstummel.

Auch Malala fängt an herumzustöbern. Unter den Papieren im Büro ihres Vaters findet sie das Aufgabenheft von Fatima, und während sie sich noch fragt, was es dort zu suchen hat, fällt ihr Blick auf einen fehlerhaften englischen Satz, der ganz bestimmt nicht von ihrer Freundin stammt.

Ich bin stolz, Pakistaner zu sein und Soldat in der pakistanischen Armee.

Sie blättert das Heft durch: Da ist die etwas kindliche Zeichnung eines Gewehrs, und dann Seiten voller Gedichte auf Urdu und Englisch: *Some love one, some love two, I love one, that is you.*

Malala legt das Heft beiseite. Früher war sie so

stolz auf die Armee – sie dachte, sie würde ihre Schule beschützen. Jetzt schämt sie sich für diese Soldaten.

In einem anderen Zimmer haben die Soldaten einen Brief hinterlassen: *Wir haben in der Armee viele kostbare Menschenleben verloren, und das alles wegen eurer Nachlässigkeit.* Sie geben den Einwohnern die Schuld daran, dass Swat in die Hände der Taliban fiel. *Es lebe die pakistanische Armee, es lebe Pakistan,* so endet der Brief.

Im Mathematikzimmer sind in den Mauern Löcher zu sehen – wahrscheinlich haben sie als Schießscharten gedient. Malala schaut durch eines der Löcher hindurch, auf die Häuser gegenüber. Die Taliban haben uns vernichtet, denkt sie.

Ein Hubschrauber fliegt über die Schule hinweg.

Auf die Wand in diesem Klassenzimmer hat ein Soldat auf Englisch geschrieben: *Willkommen in Pakistan.*

KORNBLUME

August 2009 – Dezember 2011

Gul Makai, das bin ich. So, jetzt wissen es alle. Es ist kein Geheimnis mehr. Ich wollte einfach der Welt erzählen, was hier passiert, wollte es hinausschreien. Aber ich konnte nicht. Die Taliban hätten mich, meinen Vater und meine ganze Familie getötet. Ich wäre gestorben, ohne eine Spur zu hinterlassen. Deshalb habe ich unter einem Decknamen geschrieben. Und es hat funktioniert, mein Tal wurde befreit.

Malala sieht sich selbst auf dem Fernsehbildschirm. Das kleine Mädchen, das gegen die Taliban anschrieb, ist eine Jugendliche geworden, die immer wieder in politische Talkshows und zu Fernsehmatineen eingeladen wird.

Sie hat keine Scheu mehr, ganz offen von den düsteren Jahren zu erzählen und von ihren Hoffnungen die Zukunft betreffend.

Einen Monat nach ihrer Rückkehr ins Swat-Tal fragt man sie nach ihren Vorbildern.

»Mein Vater und Benazir Bhutto«, antwortet sie.

»Warum Benazir Bhutto?«

»Sie war ein politischer Mensch, eine wichtige Politikerin.«

Auch Obama, erklärt sie, gefalle ihr als politischer Führer.

Benazir Bhuttos Ehemann ist jetzt Präsident von Pakistan. Für ihn findet Malala kritische Worte: »Manchmal denke ich, wenn seine Tochter in Swat zur Schule gegangen wäre, hätte er die Schließung der Schulen nicht zugelassen.«

»Und was würdest du machen?«, fragt der Moderator sie.

»Ich möchte Politikerin werden und unserem Staat dienen. Unsere Politiker sind zu träge und zu faul, wir brauchen aufrichtige Menschen in der Politik.«

Ihr Leben erscheint ihr wie ein Film.

Es gab eine Zeit, da träumte sie davon, ihr Tal aus den Fängen der Taliban befreit zu sehen, davon, dass Mädchen sich so sorglos bewegen könnten wie Schmetterlinge. Dieser Traum ist Realität geworden und es macht sie unendlich glücklich.

Auch wenn sie den eigenen Namen im Fernsehen oder in der Zeitung sieht, ist sie glücklich.

Hin und wieder hat sie sich vorgestellt, wie es wohl wäre, berühmt zu sein, aber niemals hätte sie es sich so weit vorstellen können. Man bittet sie, Sprecherin einer Vereinigung von Kindern aus Swat zu werden, in der die jüngsten Mitglieder der Gesellschaft von ihren Problemen und Wünschen berichten können. Als sie zum ersten Mal den Saal der Vereinigung betritt, erheben sich alle und applaudieren ihr.

»Schülerin aus Swat«, steht unter ihrem Namen, wenn sie im Fernsehen erscheint. Und nach ein paar Monaten heißt es bereits: »Aktivistin für Kinderrechte«.

Es gibt so viele außergewöhnliche Mädchen auf dieser Welt, denkt Malala, warum also ausgerechnet ich? Sie kommt sich nicht so besonders vor, nur ihre Situation ist es: Es fällt eben schwer, den Mund aufzumachen, wenn man das eigene Leben dabei riskiert. Aber wäre sie still in ihrem Kämmerchen geblieben, wer hätte sich dann für ihre Schule eingesetzt? Gott hat mir diese Ehre zugewiesen und ich nehme sie an, denkt sie.

Im Swat-Tal hat sich nun vieles verändert. Es steht allen frei, zu lernen, zu spielen, zu singen und den

Markt zu besuchen, und die Mädchen müssen die Taliban nicht mehr fürchten.

Am Tag der Unabhängigkeit ist der Cheena-Basar voll von jubelnden Menschen, die die pakistanische Fahne schwingen.

Die DVD-Läden öffnen wieder, besonders gut läuft ›Terminator 2‹.

Das Kino ist voll von Jugendlichen, die *Samosas* knabbern und Tee trinken, während sie sich den paschtunischen Film ›Target‹ anschauen, in dem fast die ganze Zeit über geschossen wird. Malala mag weiterhin lieber romantische Komödien.

Auch Musik- und Tanzfestivals finden wieder statt.

Zu viele Illusionen braucht man sich jedoch nicht zu machen. In den Fernsehberichten klingt es, als seien alle Probleme gelöst. Doch die Realität sieht immer noch anders aus.

Swat ist nicht mehr das Paradies von früher.

Nachdem die Menschen nach Mingora zurückgekehrt sind, bleibt es noch wochenlang sehr schwierig, am Morgen zur Schule zu gelangen, denn öffentliche Verkehrsmittel dürfen noch nicht wieder fahren. Die Schülerinnen werden in Zelten oder unter Bäumen unterrichtet, oder sie sitzen auf den Trümmersteinen ihrer einstigen Schulmauern.

Auch Motorrädern wird gelegentlich die Zufahrt in die Innenstadt verboten – man befürchtet, sie könnten für Selbstmordattentate genutzt werden.

In einem Ausbildungszentrum der Polizei werden sechzehn Rekruten durch einen Sprengstoffanschlag getötet.

Eine Lehrerin erzählt, sie behalte ihre Burka griffbereit bei sich zu Hause: »für alle Fälle«.

Aus Wochen werden Monate, aus Monaten Jahre. Die Hochwasserkatastrophe im Sommer 2010 schwemmt ganze Dörfer von der Landkarte. Ein Jahr nach dem Krieg sind viele Schule noch immer nicht wieder aufgebaut.

Beunruhigend sind auch die Gerüchte über gezielte Tötungen, die das Militär durchführt. Hier und da sind Leichen aufgefunden worden und einmal verschwinden auf mysteriöse Weise Häftlinge aus dem Gefängnis.

Malalas Vater nimmt kein Blatt vor den Mund: »Die Sicherheitskräfte bekämpfen den Terrorismus mit den Mitteln des Terrorismus«, äußert er gegenüber Menschenrechtsaktivisten. »Ich bin ihnen dankbar, dass sie den Gräueltaten der Taliban ein Ende gesetzt haben. Doch wer setzt den ihren ein Ende?«

Es wird vermutet, dass Maulana Fazlullah nach

Afghanistan geflohen ist. Malalas Vater hält es für zulässig, Menschen wie ihn umzubringen. Doch wenn das Militär all jene umbringt, die auf die eine oder andere Weise mit den Taliban zusammengearbeitet haben, dann beseitigen sie neunzig Prozent der Talbewohner!

»Dieser Frieden wurde mit dem Gewehr erzwungen. Was wird passieren, wenn die Armee abgezogen ist?«, fragt er.

Auch Malala denkt oft: Was hat es für einen Sinn, auf Gewalt mit Gewalt zu antworten, auf Tod mit Tod?

Die jungen Leute in den ländlichen Gebieten bleiben arbeitslos. Sie finden keine Beschäftigung, und die Menschen haben immer noch kein Vertrauen in die Regierung.

Der Vater schlägt Malala als Kandidatin für den Internationalen Kinder-Friedenspreis vor, mit dem der Einsatz für Kinderrechte und Frieden honoriert wird. 2011 erscheint ihr Name unter den Finalisten. Sie ist die erste Pakistanin, die das erreicht hat, die erste Paschtunin.

Die Moderatorinnen, die sie im Fernsehen interviewen, sehen unglaublich schick aus: Sie tragen hohe Absätze und sind stark geschminkt. Sie selbst dagegen kommt ganz natürlich, in farbige, aber unauffällige Stoffe gekleidet, und immer mit

Kopftuch. Manchmal schminken sie ihre Lippen für die Kamera ein wenig mit rosa Lippenstift und die Lidränder mit dünnem Kajal. So »sichtbar« wie sie sind Mädchen ihres Alters in Mingora normalerweise nicht. Ein anderer Vater als ihrer würde sich vielleicht Sorgen machen, und einem zukünftigen Ehemann würde es womöglich auch nicht gefallen. Doch an so etwas denkt Malala noch nicht. Sie denkt an das, was sie zu tun hat.

Sie ist davon überzeugt, dass Bildung für alle und der Aufbau von Schulen der beste Weg ist, die Taliban zu bekämpfen.

Das Paradies ist verschwunden.

Doch es muss weitergehen.

»Ich werde mich für die Menschen einsetzen, solange ich lebe.«

»Ich möchte eine Universität für Mädchen gründen und eine Stiftung für ärmere Schülerinnen.«

»Ich möchte eine Partei gründen, die ihren Schwerpunkt in der Bildung sieht.«

Malala möchte alles geben.

»Wenn ein Taliban zu mir kommt, ziehe ich mir eine Sandale aus und ohrfeige ihn damit«, erklärt sie einer Moderatorin.

»Aber du weißt, dass die Taliban Bomben und Gewehre besitzen?«, bemerkt ein anderer Journalist. »Sie werden zu dir sagen, du bist nur ein Mädchen von vierzehn Jahren, du musst gehorchen und Schluss.«

Er hat natürlich nicht unrecht. Was passiert, wenn sie sie nicht anhören wollen? Malala denkt einen Moment darüber nach und plötzlich erscheint ihr die Lösung so einfach, so naheliegend: Sie muss es machen wie Gul Makai aus der Legende.

Auch sie war nur ein junges Mädchen. Und doch hat sie ihre Stimme erhoben. Sie hat sich auf den Koran berufen, an den die Menschen ihres Stammes glaubten, und so hat sie es geschafft, einen ungerechten Krieg zu beenden.

»Ich werde die Taliban auf den Koran hinweisen, das Buch, mit dem sie ihre Taten rechtfertigen. Nirgendwo steht im Koran geschrieben, dass Mädchen nicht zur Schule gehen dürfen.«

Am Ende des Jahres wird der Internationale Kinder-Friedenspreis einem anderen Mädchen verliehen – zum Trost erhält Malala eine neu geschaffene Auszeichnung der pakistanischen Regierung. Und Malala weiß genau, was sie will: »Papa, lass uns mit dem Geld einen Schulbus kaufen!«

GEFAHR

Sommer 2012

Die warme Jahreszeit kommt und überall in den Hügeln blüht es.

Am Ende des Schuljahrs organisiert Malalas Vater einen Schulausflug nach Marghazar.

Viele Menschen sind dort – Touristen, Familien, Freundescliquen.

Die Mädchen sitzen draußen im Freien, nicht weit vom Weißen Palast, wo einst der Fürst von Swat seinen Sommersitz hatte; in der Nähe gluckert das Wasser eines Wasserfalls, der zu dieser Jahreszeit mehr ein Rinnsal ist. Sie schwatzen, rennen herum, lachen.

Ein paar Tage später wirft plötzlich jemand einen Stein über die Schulmauer. Eine Nachricht für Malalas Vater ist daran befestigt:

DU LÄSST DEINE SCHÜLERINNEN AUF EINEM
AUSFLUG HERUMRENNEN, OHNE DIE REGELN DER

VERSCHLEIERUNG ZU BEACHTEN, UND ERZIEHST SIE
DADURCH ZUR UNMORAL.

Die Regierung bietet der Schule militärischen
Schutz an, doch ihr Vater lehnt ab. Er kann sich
nicht vorstellen, wie man unterrichten soll, wenn
vor dem Tor Soldaten stehen.

Es ist nicht die erste Drohung, die sie erhalten,
sie haben schon andere bekommen, sogar direkt
nach Hause, an Vater und Tochter gerichtet:

MALALA IST SCHAMLOS.
DU BIST EINE FREUNDIN DER UNGLÄUBIGEN.

Freunde der Familie haben ihnen bereits geraten,
Malala ins Ausland zu schicken, aus Sicherheits-
gründen und um ihr eine gute Ausbildung zu er-
möglichen.

Bislang ist ihr Vater dagegen: »In ein paar
Jahren, jetzt ist sie noch nicht so weit.«

Im Juni wird der Eigentümer des Swat Continental Hotel von Mingora auf offener Straße
erschossen.

Auf Facebook erscheinen falsche Profile mit
Malalas Namen; sie beschließt deshalb, ihre Seite
zu löschen.

»Wir haben Besuch!«

Es ist ein Morgen im September und ihr Vater weckt sie in aller Frühe.

Jawad ist gekommen. Genau wie vor drei Jahren, als der Journalist im Morgengrauen auftauchte, um ihren letzten Schultag zu filmen.

Malala gesellt sich zu den Männern ins Wohnzimmer und schenkt dem Gast Tee ein.

»Jawad meint, du und ich seien in ernster Gefahr. Er rät mir, dich auf eine Schule ins Ausland zu schicken.«

Malala stellt die Teekanne auf das Tischtuch. Sie schaut langsam vom einen zum anderen und schließlich erwidert sie: »Jawad ist ein guter Mann, aber wenn wir den Mut verlieren, verlieren wir alles.«

Seit einiger Zeit sieht sie immer wieder eine Szene vor sich. Sie hat sie im Geiste schon so oft durchgespielt, dass sie ihr ganz klar erscheint: Ein Mann taucht auf, der sie umbringen will, und sie beginnt zu ihm zu sprechen: »Du begehst einen großen Irrtum«, erklärt sie ihm, »wir haben ein Recht auf Bildung.«

Wie der Mann schließlich reagieren wird, weiß sie nicht. Vielleicht denkt er an seine Tochter oder, wenn er keine hat, an seine Schwester. Vielleicht wird er begreifen, dass ein Schuss auf Malala einem Schuss auf sie gleichkäme. Sie weiß nicht, wie die Szene ausgeht, aber sie kann es einfach nicht zulassen, dass die Angst die Oberhand gewinnt über ihre Liebe zum Leben.

Sie kann nicht vergessen, wer sie ist: Sie ist Gul Makai, und sie ist Malala.

WIEDERERWACHEN

16. Oktober 2012

Wo bin ich?

Malala hat gerade erst die Augen geöffnet.

Sie schaut sich um.

Sie liegt in einem Krankenhausbett, so viel ist klar. Das Zimmer hat hellblaue Wände, und vor dem Fenster hängt ein Vorhang mit einem pastellfarbenen Blättermuster in Blau, Beige und Hellbraun.

Sie bewegt vorsichtig Arme und Beine. Sie verspürt nicht mehr diesen schrecklichen Schmerz wie zuvor. Neben ihr steht eine Krankenschwester in blauem Kittel. Sie trägt eine Brille und hat krauses blondes Haar, das nach hinten gebunden ist. Sie lächelt.

Malala will sie fragen, wo sie sich befindet, aber es gelingt ihr nicht zu sprechen, da ist etwas in ihrer Kehle. Sie verliert das Bewusstsein.

Es fühlt sich an, als würde sie immer wieder vor

sich hin dämmern und aufwachen, und sie könnte nicht sagen, ob es nur Minuten sind oder Stunden.

Ein Schlauch steckt in ihrer Luftröhre, der ihr beim Atmen hilft, aber das Sprechen unmöglich macht. Ein Arzt erklärt es ihr, er spricht Urdu. Er scheint nett zu sein. Er reicht ihr einen Zettel und einen Stift.

In welchem Land bin ich?, schreibt sie.

»Du bist in England. In Birmingham. Im Queen Elizabeth Hospital.«

Wo sind mein Vater, meine Mutter und meine Brüder?

»In Pakistan, aber sie kommen bald hierher.«

Welchen Tag haben wir?

»Den 19. Oktober 2012.«

Zehn Tage sind seit dem Anschlag vergangen.

Sie erinnert sich. Bilder tauchen vor ihren Augen auf: die Klassenarbeit, der Schulbus, Lailas Ohrringe, die staubige Straße, der Mann mit der Pistole.

Er hat auf sie geschossen. Aber sie lebt.

An diesem Morgen hilft die Krankenschwester ihr, erstmals vorsichtig aufzustehen.

Sie kann sich auf ihren Beinen halten, aber nach ein paar Minuten ist sie schon völlig erschöpft. Ihr Kopf fühlt sich schwer an, der Hals geschwollen.

Auf dem linken Ohr kann sie fast nichts hören. Sie legt sich wieder ins Bett, und die Krankenschwester reicht ihr einen weißen Teddybär mit einer rosa Schleife um den Hals. Malala drückt ihn an sich.

Sie zählt mindestens acht verschiedene Ärzte, die Tag für Tag nach ihr schauen. Der eine kontrolliert ihre linke Kopfhälfte – dort muss das Geschoss eingedrungen sein. Ein anderer untersucht ihre Kehle; von einer Infektion ist die Rede.

Auf dem runden Holztisch vor dem gemusterten Vorhang häufen sich Briefe und Kinderzeichnungen, auf denen Sonnen, Bäume, Luftballons und Heißluftballons zu sehen sind. Es sind Hunderte von Postsendungen. Die Krankenschwester liest ihr welche vor.

»Liebe Malala, ich hoffe, du wirst bald wieder gesund.«

»Malala, wir finden, dass du ein ganz toller Mensch bist.«

»Liebe Malala, du bist so mutig, du bist ein Vorbild für uns alle.«

»Malala, du hast einen schrecklichen Preis gezahlt. Aber du hast die Welt aufgerüttelt.«

Sie kann es kaum glauben, dass sich so viele Menschen – Männer, Frauen und Kinder überall auf der Welt – für ihr Wohlergehen interessieren.

Gott muss die Gebete dieser Menschen erhört haben – deshalb hat er ihr Leben gerettet.

Bitte, schreibt sie auf einen Zettel, den sie der Krankenschwester reicht, *danken Sie all diesen Leuten in meinem Namen.*

Zwar ist sie nie alleine, es bleibt immer jemand bei ihr, doch sie vermisst ihre Familie furchtbar. Wie soll sie aber mit ihnen reden, wo sie doch keine Stimme mehr hat? Eines Tages bringt ihr jemand ein Handy.

»Malala?« Es ist ihr Vater. Sie kann ihm zwar nicht antworten, doch allein ihn zu hören macht sie froh.

An der Wand ihr gegenüber hängt ein rosa Blatt mit der Aufschrift *Today is …* Jeder Buchstabe hat eine andere Farbe. Morgen für Morgen schaut Malala dabei zu, wie die Krankenschwester den aktuellen Wochentag einträgt. Noch ein paar Tage vergehen, dann entfernen die Ärzte den Schlauch aus ihrer Kehle – die Infektion ist ausgeheilt und Malala kann wieder sprechen und essen.

Auf den Arm der Krankenschwester gestützt, kann sie auch einigermaßen sichere Schritte machen.

»Papa«, sagt sie mit einem dünnen Stimmchen am Telefon. »Bring mir meine Bücher mit, wenn

du kommst. Ich will mich auf die Prüfungen vorbereiten.«

Und am anderen Ende der Leitung ist zu hören,
wie gerührt ihr Vater ist.

Und dann endlich, sie hat gerade verschiedene
Seh- und Hörtests hinter sich gebracht und ruht
sich auf dem Bett aus, sieht sie sie wieder.

Ihr Vater, ihre Mutter, Atal und Khushal kommen ins Zimmer. Trotz ihrer Müdigkeit versucht
Malala, ihnen ein breites Lächeln zu schenken,
aber ihre linke Mundhälfte lässt sich nicht so bewegen wie die rechte. Ihre Eltern und Brüder bre-
chen in Tränen aus. Tränen der Freude. Und fast
eine Stunde lang hört ihr Vater nicht auf zu reden,
zu gestikulieren und zu lächeln.

Atal sitzt an Malalas Seite und drückt den weißen Teddybären an sich. Gegenüber sitzt etwas
nervös und schweigend Khushal neben der Mutter
am Bett, die in ein großes beiges Tuch gehüllt ist.
Malala hat Mühe, sich zu ihnen zu drehen. Gera-
deaus vor sich blickend, fragt sie ihre Mutter: »Wie
geht es Laila und Zakia?«

»Sie wurden verletzt, aber es geht ihnen wieder
besser. Ich habe mit ihnen telefoniert und sie haben nach dir gefragt. Sie freuen sich schon sehr
darauf, dich wiederzusehen.«

»Und nicht nur sie«, fügt ihr Vater hinzu. »Die Schule ist wieder geöffnet. Am Tag nach dem Attentat hat die Hälfte der Mädchen gefehlt, aber am Montag darauf fehlten nur noch sechs von einunddreißig in der Klasse.«

Ihr Vater zählt die Anwesenden, wie in alten Zeiten.

Wochen vergehen und manchmal sitzt Malala mit dem Teddybären auf dem Schoß am Tisch und starrt ins Leere.

Es kommt vor, dass Kinder nicht einschlafen können, weil sie sich vor Ungeheuern fürchten. Malala kennt ihre Ungeheuer gut.

Niemand ist für den Mordversuch an ihr verhaftet worden.

Ein Sprecher der Taliban hat den Anschlag als Tat der Milizionäre bestätigt und bereits angekündigt, es werde weitere Versuche geben. Es wird sogar gemunkelt, Maulana Fazlullah selbst habe das Attentat in Auftrag gegeben. Das Ehrgefühl der Paschtunen begreift die Ermordung von Kindern zwar als Schande, doch die Taliban rechtfertigen ihre Tat damit, dass Malala antiislamisches Gedankengut des Westens verbreite, geschminkt im Fernsehen auftrete und Barack Obama bewundere.

Die Regierung hat einen Dreiundzwanzigjährigen in dringendem Verdacht, aber der junge Mann ist spurlos verschwunden.

»Du musst jetzt vor allem Kraft sammeln«, sagt ihr Vater, als er sie so nachdenklich sieht, »damit die Ärzte die letzten Operationen durchführen können. Sie werden auch dein linkes Ohr wieder in Ordnung bringen«, verspricht er ihr. »Du wirst wieder gut hören können, so wie früher.«

Während der Vater ihr die Briefe vorliest, die immer noch täglich eintreffen und Solidarität bekunden, muss Malala an das erste Foto denken, das im Krankenhaus von ihr gemacht und in der Presse veröffentlicht wurde.

Auf dem Bild liegt sie mit geschwollenem Gesicht und dunklen Ringen unter den Augen auf dem Krankenbett, eine Sonde steckt in ihrer Nase und ein weißes Tuch ist um ihren Kopf drapiert. Es sieht aus, als läge sie im Sterben.

Das darf nicht mehr vorkommen, beschließt sie. Von jetzt an wird sie sich nur noch mit einem Buch in der Hand und einem schönen Kopftuch fotografieren lassen, das ihr Gesicht umrahmt und ihre Wunden verhüllt.

Eines Abends erzählt ihr der Vater, dass ein Journalist, der sie im Fernsehen interviewt hat, gerade noch mit dem Leben davongekommen ist, nachdem man unter seinem Wagen eine Autobombe platziert hatte. Malala ruft ihn an und lässt sich auch die Tochter des Journalisten reichen, die siebzehn Jahre alt ist.

»Hana, hier ist Malala. Hör zu«, sagt sie mit immer noch schwacher, aber sicherer Stimme. »Ich verstehe, dass es schrecklich ist, was passiert ist, aber du musst stark bleiben. Du darfst nicht aufgeben.«

Ein paar Tage später erfährt sie, dass die Regierung eine Schule in Mingora nach ihr benannt hat, die Schülerinnen jedoch dagegen aufbegehrt haben, weil sie nicht das nächste Anschlagsziel sein wollen.

Wieder greift sie zum Hörer, um sich einzumischen.

»Ich möchte nicht, dass die Schülerinnen meinetwegen in Gefahr geraten. Bitte geben Sie der Schule ihren alten Namen wieder oder wählen Sie einen ganz anderen, nur nicht meinen.«

Es wird Zeit, das Krankenhaus zu verlassen. Die Schwester kommt sie abholen. Drei Monate nach dem Anschlag macht Malala sich auf, nicht im Rollstuhl, sondern auf ihren eigenen Beinen.

Mit kleinen Schritten geht sie durch den Krankenhausflur, in der Linken hält sie die Hand der

Schwester, mit der Rechten winkt sie zum Abschied all den Menschen im Kittel, die an ihrer Seite waren und sie gesund gepflegt haben.

Vor der großen Holztür angekommen, bleibt sie einen Moment stehen und dreht sich um, um auch in die Fernsehkamera zu winken. Die Menschen weltweit werden sie sehen und Bescheid wissen. Die Taliban haben versucht, sie zu töten, und haben sie doch nur stärker gemacht.

NEUES LEBEN

Malala ist froh. Mit ihren Büchern in der pinkfarbenen Schultasche und ihrem Vater an der Seite läuft sie durch eine Allee, während in Gegenrichtung die Autos vorbeifahren.

Es ist der 19. März, ihr erster Schultag. Ihre neue Schule heißt »Edgbaston High School for Girls«.

Ihre Schuluniform besteht aus einem langen dunkelblauen Rock und einem grünen Pullover, auf dem ein kleines Wappen aufgenäht ist. Sie trägt ein Kopftuch, wie es ihr Recht ist, und einen Mantel, denn in Birmingham ist es kalt.

Die Uniform gefällt ihr: Sie ist ein Zeichen dafür, dass sie wieder Schülerin ist, dass sie selbst über ihr Leben bestimmt. Sie ist auf dem Weg zur Schule – eine wichtige Sache.

Ein paar Wochen zuvor hat man ihr in einer fünfstündigen Operation eine Titanplatte in die Schädeldecke sowie ein kleines Implantat ins Ohr gesetzt, um ihr Gehör zu verbessern. Außerdem hoffen die Ärzte, mit einer Operation an den Gesichtsnerven auf die Dauer ihr früheres Lächeln wiederherzustellen.

Aber Malala ist schon jetzt glücklich. Sie ist am Leben, sie spricht, sie sieht alles, sie kann die anderen Menschen sehen. Und dieses zweite Leben möchte sie den anderen Menschen widmen.

Sie besucht jetzt die Oberstufe. Sie will so vieles lernen.

Über Politik, über die sozialen Grundrechte, über Gesetze.

Sie will verstehen, wie man die Dinge verändern kann, wie man Mädchen und Jungen helfen kann, sich zu bilden und die eigenen Träume zu verwirklichen.

Dank solcher Bemühungen, so denkt sie, werden eines Tages alle Mädchen selbstbewusst sein und respektiert werden und zur Schule gehen. Aber es wird nur funktionieren, wenn sie ihre Rechte einfordern. Es ist ein langer Kampf.

Die Schulrektorin zeigt ihr das Lateinzimmer mit den schneeweißen Tischen und den blauen Stühlen, mit Zeichnungen an den Wänden und Regalen voller Bücher. Dann führt sie sie in einen großen Raum mit Perserteppichen auf dem Boden, wo sie ihr eine Glasvitrine mit Pokalen zeigt. Es sind die Preise, die am Ende des Jahres den besten Schülerinnen verliehen werden.

Auch Laila und Zakia in Pakistan haben eine Auszeichnung erhalten: den Stern für Tapferkeit, einen Orden, der normalerweise an Soldaten verliehen wird. Und Tapferkeit brauchen sie weiter: Sie leben unter Begleitschutz, mit bewaffneten Wachen vor ihrem Haus. Sie fahren nicht mehr mit dem Schulbus, sondern mit einer Rikscha samt Polizeieskorte. Den Ort des Anschlags versuchen sie zu meiden – zu viel Angst macht er ihnen noch.

Doch die Schule besuchen sie weiterhin.

Malala ist sich sicher, dass sie in Birmingham neue Freundinnen finden wird, die Mädchen dort sind nett. Doch ihre alten Schulkameradinnen fehlen ihr sehr. Wann immer sie kann, telefoniert sie mit ihnen.

Zakia, die so lange unentschlossen war, hat sich inzwischen entschieden: Sie möchte Ärztin werden.

Laila drängt Malala zurückzukommen: »Du bist ein Mädchen aus Swat, es ist deine Pflicht.«

»Ich weiß nicht recht, im Moment ist es zu riskant.«

Ihr Vater verspricht ihr, dass sie nach Pakistan zurückkehren, sobald es ihr wirklich gut geht. Swat sei für die ganze Familie so wichtig wie die Luft zum Atmen. Doch erst einmal hat er für drei Jahre eine Stelle im pakistanischen Konsulat von Birmingham angenommen, die eventuell auf fünf Jahre verlängert werden kann. Ihre Mutter und ihre Brüder bleiben mit ihnen hier.

Malala hat auch mit Fatima telefoniert: Sie hat Malala zu nichts gedrängt, dafür hat sie ihr etwas versprochen: »Ich sorge dafür, dass keine andere auf deinem Platz sitzen darf.«

Jeden Morgen stellt Fatima ihre Schultasche auf Malalas Platz in der zweiten Reihe ganz rechts. Solange die Mitschülerinnen den leeren Stuhl sehen, werden sie Malala nicht vergessen.

Mag sein, dass es lange dauern wird, dass noch viele Monate ins Land gehen werden, aber dieses kleine Bataillon von Freundinnen wird auf sie warten.

GLOSSAR

Assalam alaikum Ein Gruß, der wörtlich »Friede sei mit euch« bedeutet. Man antwortet darauf: »*Walaikum Assalam*« (»Der Friede sei auch mit euch«). Auf Paschtu kann man noch hinzufügen: »*Pakhair Raghley*«, was bedeutet: »Ich hoffe, ihr kommt alle in Frieden.«

Benazir Bhutto Die erste (und bisher einzige) Pakistanerin, die Premierministerin wurde (zweimal: von 1988 bis 1990 und von 1993 bis 1996). Sie kam bei einem Attentat am 27. Dezember 2007 in Pakistan ums Leben.

Burka Ein weibliches Kleidungsstück in Afghanistan und Pakistan, das den kompletten Körper bedeckt. Im Norden Pakistans wird die Burka in einigen Gemeinden der Stammesgebiete und in manchen ländlichen Gegenden getragen. Es gibt zwei Sorten von Burka: Die eine hat auf Höhe der Augen ein Stoffgitter, das als Sichtfenster dient, ohne dass man selbst gesehen wird; bei der anderen wird das Gesicht vom Stoff bedeckt (mal mit, mal ohne Sehschlitz).

Da warro dodai Ein rundes, flaches Brot, das in Swat üblicherweise aus Reismehl gebacken wird. In Öl frittiert, isst man es auch zum Frühstück zusammen mit Spiegelei.

Dupatta Ein Urdu-Begriff (auf Paschtu würde man *Lupata* sagen), mit dem man das dünne, leichte Schaltuch bezeichnet, das die Frauen über Kopf und Schultern tragen

Eid-al-Fitr Das Fest zum Abschluss des Fastenmonats Ramadan

Gul Makai In der paschtunischen Sprache bedeutet es »Kornblume«; es ist der Name der Heldin aus einer alten Volkssage, die Ähnlichkeit mit ›Romeo und Julia‹ hat.

Kajal (oder Khol) Eine in Südostasien, im Mittleren Osten und in Nordafrika gebräuchliche Schminke, mit der die Lidränder oder auch Wimpern schwarz gefärbt werden.

Kamiz partug Ein Paschtu-Begriff (auf Urdu wäre es *Shalwar kamiz*) für ein Kleidungsensemble, bei dem ein langes Hemd oder eine Tunika über Hosen getragen wird

Khaal Ein Paschtu-Begriff, der den »roten Schönheitsfleck« bezeichnet, der auf die Mitte der Stirn gemalt wird, so wie das indische *Bindi*, nur etwas kleiner. In Nordpakistan ist dieser aufgemalte Punkt in neuerer Zeit nicht mehr üblich.

Khushal Khan Khattak Krieger und Dichter, der von

1613 bis 1689 lebte. Er wird als Vater der paschtunischen Dichtung betrachtet.

Madrasa Arabisches Wort für »Schule«. In Pakistan steht der Begriff für islamische Religionsschulen.

Maulana Ein ursprünglich arabisches Wort, das im indischen Subkontinent als Titel für islamische Gelehrte verwendet wird

Maulana Fazlullah Führer der pakistanischen Taliban

Milizionäre Bewaffnete Mitglieder einer mehr oder weniger militärisch strukturierten Gruppierung

Moschee Gotteshaus in der islamischen Religion; Ort der Versammlung, des gemeinschaftlichen und des privaten Gebets

Mullah Ursprünglich arabisches Wort, das in Pakistan den Vorbeter in einer Moschee bezeichnet

Pakistanisches Schulsystem Es orientiert sich am britischen System und sieht fünf Jahre auf der Grundschule vor (1. bis 5. Klasse), drei auf der Mittelschule (6. bis 8. Klasse), dann zwei Jahre an einer Sekundarschule und noch einmal zwei an der Höheren Sekundarschule, gefolgt von der Universität. In der Mittelstufe werden Jungen und Mädchen häufig getrennt unterrichtet, doch in den Städten sind gemischte Klassen durchaus üblich. Die Wahl der Schule prägt stark den Lebenslauf. Die wichtigsten Unterrichtsfächer sind: Urdu, Englisch, Mathematik, Kunst, Naturwissenschaften, Sozialwissenschaften, islamische Religion und Geschichte sowie manchmal Informatik. Gelegentlich werden auch örtliche Sprachen gelehrt.

Parroney Ein Paschtu-Begriff, der einen meist weißen langen Umhang bezeichnet, der – etwas größer als der Saadar – den Kopf bedeckt und den Körper umhüllt. In Swat tragen ihn viele Frauen über ihren Kleidern, wenn sie aus dem Haus gehen, während jüngere Mädchen meist kürzere Tücher tragen.

Paschtunen Ethnische Gruppe in Afghanistan und Pakistan, deren Sprache Paschtu ist. Ein wichtiger Teil ihres Kulturguts ist der Paschtunwali, ein Regelkodex aus vorislamischer Zeit, der das Verhalten des Einzelnen und der Gemeinschaft festlegt.

Raita Eine Soße aus Joghurt, Gurken, Zwiebeln, Tomate und Kreuzkümmel

Ramadan Der neunte Monat des islamischen Mondkalenders, während dessen – für die Dauer von Sonnenaufgang bis Sonnenuntergang – Fasten und sexuelle Enthaltsamkeit Pflicht sind

Rikscha Ein in Asien weit verbreitetes Transportmittel. In ihrer ursprünglichen Form zieht der Fahrer eine Karre auf zwei Rädern, in der ein oder zwei Personen sitzen; heute sind auch motorisierte Rikschas sehr verbreitet, die dann Autorikscha oder Motorikscha genannt werden.

Saadar Paschtu-Begriff (auf Urdu hieße es *Chadar*), der ein Tuch bezeichnet, das man außer Haus trägt. Im Winter ist es meist aus Schafwolle, im Sommer aus Baumwolle oder Leinen. An einem Ort wie Mingora sieht man es gewöhnlich Mädchen draußen auf der Straße tragen, während in öffentlichen Gebäuden wie der Universität auch der *Dupatta* (oder *Lupata*) genügt. Das Tragen von Dupatta, Chadar oder Burka variiert von Ort zu Ort und von Familie zu Familie.

Samosa Frittierte Teigtäschchen in Dreieckform, die mit Kartoffeln, Zwiebeln, Erbsen, Linsen, Fleisch, Gewürzen oder Ähnlichem gefüllt sind und als Vorspeise oder Imbiss gegessen werden

Taliban Wörtlich meint der Begriff einfach die »Schüler« der Koranschulen. Inzwischen bezeichnet er die fundamentalistischen Kämpfer paschtunischer Ethnie, die in Afghanistan einst die Macht ergriffen haben. In Pakistan, vorwiegend in den Stammesgebieten an der Grenze zu Afghanistan, haben sich pakistanische Talibangruppen etabliert, die die gleiche Ideologie teilen. Die pakistanischen Taliban bekämpfen die offizielle Regierung des Landes und die ausländischen Kräfte im benachbarten Afghanistan; sie wollen ihre Auffassung der Scharia (religiöses Gesetz des Islam) durchsetzen.

Urdu Nationalsprache von Pakistan

QUELLEN

Für die Arbeit an diesem Buch habe ich mich ganz besonders auf Malalas Blog-Tagebuch für die BBC, auf zwei Dokumentarvideos der *New York Times* und auf weitere Interviews gestützt, die Malala und ihr Vater vor und nach dem Attentat gegeben haben. Mit diesem Material als Grundlage habe ich versucht, die Ereignisse, aber auch Malalas Gedanken und Äußerungen zu rekonstruieren.

Wertvolle Informationen lieferten mir auch die Artikel und Essays pakistanischer und ausländischer Journalisten über die Situation im Swat-Tal während jener Jahre, in denen sich die hier geschilderten Begebenheiten ereigneten, weiterhin die Gespräche mit Menschen, die die Gegend, die Sprache und die Gebräuche vor Ort besonders gut kennen.

Infolge meiner Recherchen habe ich auch Ereignisse in die Erzählung mit eingefügt, die Malala selbst nicht explizit erwähnt, die aber zur gleichen Zeit stattgefunden haben; sie tragen für mein Gefühl dazu bei, ihre Welt noch besser zu verstehen. Um von diesen Begebenheiten in sinnvoller Weise erzählen zu können, habe ich einige Figuren und Dialoge hinzuerfunden.

Fast alle Personen in diesem Buch sind real existierenden Menschen nachempfunden; ihre Namen wurden geändert, aber die wesentlichen Ereignisse haben tatsächlich stattgefunden. Manchmal habe ich mich von verschiedenen Menschen inspirieren lassen, um eine einzelne Figur zu erschaffen. Ich habe mich bemüht, meine Fantasie behutsam und respektvoll einzusetzen, und alle Fakten überprüft, um auf dem schmalen Grat zwischen Tatsachenbericht und Fiktion der Wahrheit möglichst treu zu bleiben.

Das Blog-Tagebuch

Diary of a Pakistani Schoolgirl, BBC News (vom 3. Januar 2009 bis zum 12. März 2009)

Dokumentarfilme und Video-Interviews

Adam Ellick und Irfan Ashraf, *Class dismissed in Swat Valley*, The New York Times, 22. Februar 2009

Hamid Mir, *Attack on Malala Yousafzai*, Capital Talk, 19. August 2009

Adam Ellick, *A schoolgirl's odyssey*, The New York Times, 10. Oktober 2009

Eighth grader stood up against terrorism for education, Black Box Sound, 2011

Reza Sayah, *My people need me*; CNN, November 2011

A Morning with Farah, 14. Dezember 2011

Geo News, 31. Dezember 2011

Geo TV, Januar 2012

Talking back, in: *Mera Passion Pakistan*, 16. Februar 2012

Malala Yousafzai's father insists they will remain in Pakistan when his daughter recovers, The Telegraph, 25. Oktober 2012

Videos, Fotos und Pressemitteilungen des Queen Elizabeth Hospital in Birmingham, 16. Oktober – 16. November 2012

Malala Yousafzai discharged from Birmingham hospital, Birmingham Mail, 4. Januar 2013

Malala Yousafzai: first interview since getting shot by Taliban, The Guardian Online, Februar 2013

Malala Yousafzai back at school six months after shooting, The Guardian Online, 19. März 2013

Malala announces Malala Fund first grant, 5. April 2013

Artikel über Malala

Rick Westhead, *You will not stop me from learning: teen activist aws us with her courage*, in: *Toronto Star*, 9. Oktober 2012

Adam Ellick, *My »Small Video Star« fights for her life*, in: *The New York Times*, 9. Oktober 2012

Basharat Peer, *The girl who wanted to go to school*, in: *The New Yorker*, 10. Oktober 2012

Owais Tohid, *The Malala Yousafzai I know*, in: *The Christian Science Monitor*, 11. Oktober 2012

Radio Mullah sent hit squad after Malala Yousafzai, Reuters, 12. Oktober 2012

Kahar Zalmay, *Class resumed*, in: *Pakistan Daily Times*, 3. November 2012

Aryn Baker, *Runner-Up: Malala Yousafzai, the fighter* und *The other girls on the bus: how Malala's classmates are carrying on*, in: *Time Magazine*, 19. Dezember 2012

Malala's friends jubilant at her recovery, Indo-Asian News Service, 7. Januar 2013

Ashley Fantz, *Pakistan's Malala: global symbol, but still just a kid*, CNN, 30. Januar 2013

Marie Brenner, *The target*, in: *Vanity Fair*, April 2013

Über Pakistan und das Swat-Tal

Palwasha Kakar, *Tribal law of Pashtunwali and women's legislative authority*, Harvard Islamic Legal Studies Program, 2005

Marvaiz Khan, *Music centres threatened by religious extremism*, Freemuse, 4. März 2007

David Montero, *Pakistan, state of emergency*, PBS, 26. Februar 2008

Aamir Latif, *Taliban threats cause Pakistani cops to abandon their jobs*, US News, 13. November 2008

Kamran Haider, *Cleric leads »peace march« through Pakistan's Swat*, Reuters, 18. Februar 2009

Iqbal Khattak, *Female shoppers still elusive in Swat*, in: *The Daily Times*, 17. März 2009

Urvashi J. Kumar, *Swat: a chronology since 2006*, Institute of Peace and Conflict Studies (Ipcs.org), März 2009

Zeeshan Zafar, *Swat men's first post-Taliban shave*, BBC News, 6. Juni 2009

16 police recruits killed in Mongora suicide attack, in: *The Daily Times*, 31. August 2009

Sabrina Tavernise, *New wardrobe brings freedom to women in Swat*, in: *The New York Times*, 22. September 2009

Rick Westhead, *Brave defiance in Pakistan's Swat Valley*, in: *Toronto Star*, 26. Oktober 2009

Daud Khan Khattak, *Who is the Swat Taliban's Commander?*, in: *Foreign Policy Magazine*, 21. April 2010

Education under attack, UNESCO, 2010

Swat, Paradise regained?, Human Rights Commission of Pakistan, Juli 2010

Ashfaq Yusufzai, *Taliban's threats force some nurses to wear veils*, Pakistan Update, 26. Juli 2011

Shaheen Buneri, *Dancing Girls of the Swat Valley*, Pulitzer Center on Crisis Reporting, 13. September 2011

Kushal Khan, *Swat Valley, the metamorphosis*, Tribal Analysis Center, September 2012

Asad Hashim, *Swat Valley on edge after Malala shooting*, Al Jazeera, 14. Oktober 2012

Poems from the Divan of Khushal Khan Khattak, Übersetzung aus dem Paschtu von D. N. Mackenzie, Allen & Unwin, London 1965

DANKSAGUNG

Ich danke der Lektorin Marta Mazza (mit der keine Verwandtschaft besteht) für ihre Anregung zu diesem Buch und die harmonische Zusammenarbeit, außerdem dem ganzen Team des Mondadori Verlags, das zur Verwirklichung des Projekts beigetragen hat. Ich danke dem *Corriere della Sera* und dem Blog *La ventisettesima ora*, für die ich zum ersten Mal über Malala schreiben durfte, ferner den pakistanischen Journalisten Syed Irfan Ashraf – Koproduzent eines Dokumentarfilms der *New York Times* über Malala – und Kahar Zalmay für die langen Gespräche über Telefon und Skype, die mir geholfen haben, Einzelheiten zum Leben der Protagonistin und zur Situation in Swat zwischen 2009 und 2012 richtig zu verstehen.

Nazrana Yousufzai, Khushal Khan, Jawad Iqbal, Madeeha Syed, Fathma Amir, Asma Abdurraoof haben geduldig meine unzähligen Fragen beantwortet, die ich in Bezug auf Orte, Speisen, Kleider, Redensarten, das Schulsystem, Werte und Traditionen an sie hatte. Maria Calafiore hat das ganze Manuskript gegengelesen und mir aus der Perspektive der Mittelschullehrerin wertvolle Tipps gegeben. Ethan Gottschalk hat mich Tag für Tag zum Schreiben ermuntert. Ich danke meinen beiden Großmüttern Rosa Adorno und Sara lo Po' – durch sie habe ich gelernt, zuzuhören und Geschichten wie diese zu erzählen.

INHALT